**W9-AKS-575**

APRENDA A TOCAR
GUITARRA

APRENDA A TOCAR
GUITARRA

Jeff Ellis

Traducción

Diana Esperanza Gómez

PANAMERICANA
E D I T O R I A L

Editor
Panamericana Editorial Ltda.

Dirección editorial
Conrado Zuluaga

Edición
Javier R. Mahecha López

Traducción
Diana Esperanza Gómez

Título original
Learn to play guitar

Diseño
Chris Readlamb

Ilustraciones
Jeff Ellis, Chris Readlamb

Fotografías
David Wright

Diseño e imagen de la portada
Chris Readlamb y David Wright

Ellis, Jeff
    Aprenda a tocar guitarra / Jeff Ellis ; traductor Diana Esperanza Gómez. — Edición Javier R. Mahecha López. —Bogotá : Panamericana Editorial, 2008.
    192 p. : il., fot. ; 16 cm.
    Incluye glosario e índice.
    Título original : *Learning to play guitar.*
    ISBN 978-958-30-2073-5
    1. Guitarra – Enseñanza 2. Guitarra - Métodos autodidácticos I. Gómez Rodríguez, Diana Esperanza, tr. II. Tít. III. Serie.
    787.87078 cd 20 ed.
    A1087256

    CEP-Banco de la República-Biblioteca Luis Ángel Arango

Primera edición en Panamericana Editorial Ltda. febrero de 2009
Primera edición en Igloo Books Ltd, 2005

© Copyright Igloo Books Limited, 2005
© Panamericana Editorial Ltda.
Calle 12 No. 34-20. Tels.: (57 1) 3603077 – 2770100
Fax: (57 1) 2373805
Correo electrónico: panaedit@panamericana.com.co
www.panamericanaeditorial.com
Bogotá, D.C., Colombia

ISBN 978-958-30-2073-5

Impreso por Panamericana Formas e Impresos S.A.
Calle 65 No. 95-28, Tels: (57 1) 430 2110 – 4300355, Fax: (57 1) 276 3008
Bogotá, D.C., Colombia

Quien sólo actúa como impresor.

Impreso en Colombia   *Printed in Colombia*

Contenido

Introducción

Si desea aprender algunos acordes simples de guitarra para tocar en casa, o si su sueño es llegar a ser un guitarrista líder, esta guía paso a paso lo enrumbará hacia su meta. Lo guiaremos a través de los acordes básicos y las técnicas de digitación, cubriendo teoría musical y aconsejándole para comprar acertadamente el equipo necesario.

Antes de concentrarnos en cómo tocar la guitarra debemos detenernos un momento para observar el instrumento.

Es importante reconocer y poder identificar las diferentes partes de la guitarra para entender este libro; por tanto, observaremos cada una de sus partes, incluyendo los distintos tipos y clases de cuerdas.

Aprenderemos los nombres de las cuerdas y algunas de las notas sobre el diapasón de la guitarra decisivas para su afinación. En cuanto pueda hacerlo estará listo para empezar a tocar.

Guitarra

En este libro nos concentraremos en las guitarras con encordado de acero, desde eléctricas hasta acústicas incluyendo algunas intermedias.

Detallaremos algunos de los tipos de guitarras sobre los que encontrará información en el último capítulo y daremos consejos acerca de cómo comprarlas.

Las guitarras se clasifican en: acústicas y eléctricas. Las acústicas producen el sonido por sí mismas; las eléctricas requieren algún tipo de amplificación.

Dentro de estas categorías existen diversos tipos y estilos de guitarras.

Muestra de una gran variedad de guitarras.

Guitarras acústicas

de las cuerdas rebota dentro de la caja de resonancia y se amplifica.

Las cuerdas de nailon y su forma corporal levemente más pequeña definen su estilo clásico. Así, el sonido que producen tiene un tono más suave y cálido. El mástil de estas guitarras es más ancho y corto que el de otros tipos de guitarras y la parte frontal del mástil, donde se ponen los dedos, es más plana. Esto favorece un estilo en el que la escogencia de notas individuales es primordial, más que la ejecución de acordes.

La palabra **guitarra** se originó en España durante el siglo XIII y se cree que proviene del vocablo árabe gitara, *que significa "instrumento de cuerdas". Existen imágenes de personas tocando instrumentos similares a la guitarra miles de años atrás en el antiguo Egipto.*

Se basan en un modelo original que evolucionó de instrumentos más pequeños como el laúd.

La guitarra acústica posee una caja de resonancia en el cuerpo, con un orificio bajo las cuerdas. De este modo, el sonido proveniente

Izquierda: guitarras acústicas.
Derecha: boca de una guitarra acústica.

También existen guitarras con tapa arqueada arch-top *cuyo diseño curvo de la tapa superior es similar al de los violines o chelos. Este tipo de guitarra no es muy común y por lo general es más costoso que los demás.*

Las guitarras españolas son similares a las clásicas pero su sonido es más agudo y brillante.

Esto no significa que las clásicas o las españolas no puedan utilizarse para aprender, pero requieren mayor esfuerzo para construir los acordes y sentirá que su técnica de digitación es levemente diferente al ensayar en otros tipos de guitarras.

El tipo más común de guitarra acústica que se conoce es la de tapa plana *flat-top*, y se denomina así debido a la forma de la madera que compone la parte superior de su cuerpo y la parte frontal en donde se encuentra la boca.

Izquierda: guitarra clásica.
Derecha: guitarra acústica de tapa plana.

El tamaño y la profundidad del cuerpo en las guitarras de tapa plana determinan el sonido: a mayor tamaño, mayor profundidad del tono. La madera y el método de construcción también afectan el sonido. Las más grandes se denominan acorazadas o *Dreadnoughts*.

Las guitarras de tapa plana por lo general tienen cuerdas metálicas que producen un timbre más claro y fuerte. Su diapasón es más angosto que el de las clásicas, y las españolas tienen una barra metálica interna (alma) a lo largo del mismo, que da la fuerza requerida para mantener la tensión de las cuerdas metálicas.

La guitarra con resonador es similar a las de tapa plana pero posee un disco metálico (llamado resonador) sujeto al cuerpo, cuyo objetivo es producir sonidos más fuertes que los obtenidos en una acústica normal. Este instrumento fue muy importante para los guitarristas antes de la invención de la guitarra eléctrica, debido a que era difícil escucharla por encima de los demás instrumentos en la banda. Se utilizan ocasionalmente en bandas de música blues o country.

Las guitarras de doce cuerdas son similares a las de seis, aunque su diapasón es un poco más amplio para acomodar las cuerdas adicionales. Las cuerdas se disponen en pares y su afinación es tal que cada cuerda en el par representa la misma nota pero separada una octava, produciendo una de ellas un sonido más agudo, excepto por las dos más graves, que producen exactamente la misma nota. La segunda cuerda en cada par es más delgada que la primera.

Derecha: disco resonador.

Guitarras eléctricas

Las guitarras eléctricas producen sonidos muy suaves a menos que estén conectadas a un amplificador y parlantes o altavoces. Los micrófonos magnéticos detectan la vibración de las cuerdas y la convierten en señales eléctricas.

Hasta el momento, la forma más común disponible es la clásica, que ha sobrevivido desde la década de 1950 y 1960 y ha probado ser cómoda y muy efectiva al ejecutarse.

Estas señales llegan a un amplificador que las modifica y las dirige hacia los parlantes o altavoces; es el rápido movimiento de los conos de los micrófonos hacia atrás y hacia adelante el que produce el sonido.

Las guitarras eléctricas se consiguen en diversas formas y tamaños puesto que esto no influye en el sonido; aunque es importante que el cuerpo tenga la fortaleza necesaria para resistir la tensión de las cuerdas. Es posible conseguirlas con casi cualquier forma deseada.

Izquierda: micrófonos magnéticos de una guitarra eléctrica.
Derecha: las guitarras eléctricas se consiguen en diversas formas.

Los diseños más famosos tienen rasgos y cualidades particulares que atraen a los diferentes músicos. Por ejemplo, el fabricante de guitarras Fender creó dos diseños principales –la *Telecaster* y la *Stratocaster*– que han permanecido inalterados durante décadas.

La *Telecaster*, o *Tele*, tiene dos micrófonos a lo largo del cuerpo que detectan el sonido haciéndola adecuada para los guitarristas rítmicos, mientras que la *Stratocaster* o *Strat* posee tres micrófonos que le permiten mayor variedad tonal. La *Strat* tiene un diseño con corte transversal a lo largo de la mitad inferior de su cuerpo que les permite a quienes la toquen llegar a las notas más altas del diapasón. Posee además un brazo que le permite al intérprete estirar las cuerdas y alterar las notas. La *Strat* es la favorita entre guitarristas líderes.

Otro de los grandes en la fabricación de guitarras es Gibson; tiene dos diseños principales con características similares para atraer diferentes tipos de intérpretes. La *Gibson SG* presenta la forma clásica del cuerno del diablo y dos micrófonos. Los micrófonos de los modelos de Gibson son más grandes que los de los modelos de Fender ya que en realidad cada uno es un micrófono doble. Los guitarristas rítmicos prefieren el diseño *SG* a los demás de esta misma marca.

Guitarras Fender (*Telecaster*) y Gibson (*Les Paul*).

Gibson atrae a los guitarristas líderes con su modelo *Les Paul*. La forma de su cuerpo sobresale debido a un corte transversal extremo que permite un fácil acceso a las notas más altas posibles. Su cuerpo tiene una curva sobre su superficie.

Las guitarras Gibson y Fender poseen cada una su cualidad tímbrica característica, debido a la ubicación y al tipo de micrófonos que utilizan; sin embargo, al momento de comprarlas, su apariencia afectará en la decisión.

Entre las acústicas y eléctricas se encuentran los híbridos: las electroacústicas y las guitarras semiacústicas.

Semiacústicas

Una guitarra semiacústica es una guitarra eléctrica con cuerpo ahuecado; de esta manera, el instrumento posee cierta habilidad acústica. Aunque esto significa que pueden ser tocadas sin amplificación eléctrica, el sonido que producen sin esta no es muy fuerte. El propósito de un cuerpo hueco es darle un sonido más cálido y afectar lo que los micrófonos envían al amplificador. Un ejemplo famoso de este diseño es la guitarra *Gretsch*.

Guitarra semiacústica *Gretsch*.

Guitarras electroacústicas

Las guitarras electroacústicas son guitarras acústicas que de algún modo pueden amplificar su sonido. Esto lo hacen a través de micrófonos adaptados con controles de tono y volumen.

Las guitarras electroacústicas están diseñadas para sonar mejor al ser su sonido amplificado, puede que no presenten la misma cualidad de tono de una acústica, pero con seguridad su sonido desconectado es mejor que el de las semiacústicas.

Guitarras de espalda redondeada

Algunas guitarras electroacústicas no tienen el cuerpo tradicional en forma de caja, y se utilizan materiales modernos para fabricar la espalda de forma redondeada. Un ejemplo famoso de estas es la guitarra Ovation.

Izquierda: controles de tono y volumen de una guitarra electroacústica.
Derecha: guitarra *Ovation.*

Partes de la guitarra

Observemos ahora las principales partes de la guitarra y sus funciones.

Cuerpo

El cuerpo es la parte más grande de la guitarra y su apariencia, por lo general, atrae al comprador potencial. Ya sea la forma, el color, el tipo de material del cual está hecho, o una combinación de estos, el cuerpo siempre definirá el carácter del instrumento.

En las guitarras acústicas, el cuerpo produce el sonido; por tanto, el tipo de madera y el modo en que está construida son fundamentales.

Las guitarras acústicas se fabrican por lo regular de madera como el abeto, cedro o caoba, aunque algunas se construyen con diferentes capas de madera llamadas láminas.

Lo más importante es que la parte superior del cuerpo esté hecho de material de muy buena calidad, ya que el sonido en su mayoría es producido por esta pieza que transfiere las vibraciones de las cuerdas hacia el resto del instrumento. La parte superior del cuerpo se conoce como caja de resonancia.

Izquierda: cuerpos de guitarras semiacústicas.
Derecha: los refuerzos internos de la guitarra acústica le añaden rigidez al cuerpo.

El cuerpo mantiene su solidez interna gracias a los refuerzos. Estos generan la fortaleza requerida para resistir la presión causada por las cuerdas tensionadas. El tamaño y la ubicación de estos refuerzos ejercen cierto efecto sobre el timbre general de la guitarra.

El cuerpo de una guitarra eléctrica está hecho por lo general de madera sólida. Algunas han sido construidas con madera barata como el fresno y luego recubiertas con una capa delgada de madera más atractiva o de mejor calidad.

El diapasón y el puente de la guitarra están encajados en el cuerpo. En el cuerpo se encuentran algunos canales y orificios tallados sobre los cuales se ubican el encordado, los botones e interruptores, esenciales para controlar el sonido.

Lámina protectora

La lámina protectora está unida a la cara superior del cuerpo y por lo general es de plástico laminado. En las guitarras eléctricas, los controles o los micrófonos se encuentran sobre esta.

El propósito de esta lámina es proteger la madera y el lacado final del cuerpo del daño causado por el rasgueo.

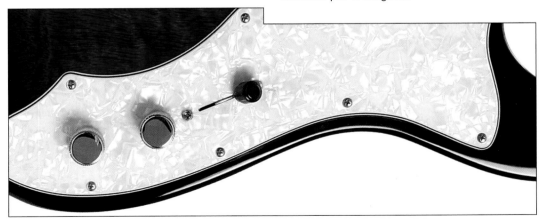

La lámina protectora protege la madera del cuerpo de la guitarra.

Puente

El puente une uno de los extremos del encordado con el cuerpo. Las cuerdas son enlazadas por la parte posterior del puente y se mantienen en su lugar gracias a un anillo atado a su extremo y ajustado a los orificios posteriores.

Muchas guitarras eléctricas amarran sus cuerdas en la parte trasera del cuerpo y por detrás del puente. La altura del puente puede ajustarse, proceso que se conoce como subida o bajada del puente. Algunos puentes permiten la microafinación de las cuerdas. Otros están complementados por resortes en la parte posterior que les permite el uso de palancas de trémolo. Estas palancas ayudan a que las notas suban o bajen al templar o destemplar las cuerdas.

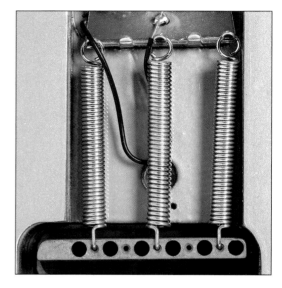

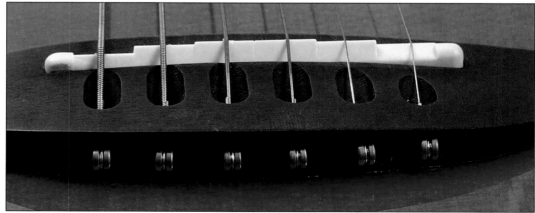

Arriba: resortes de tensión de una *Fender Stratocaster*.
Abajo: puente de una guitarra acústica.

Micrófonos

Todas las guitarras eléctricas y semieléctricas y la mayoría de las electroacústicas tienen micrófonos. Algunas guitarras electroacústicas tienen pequeños micrófonos condensadores o una combinación de micrófonos y condensadores.

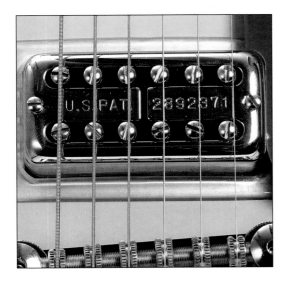

Las pastillas están hechas de magnetos o imanes (por lo general uno por cuerda) y resortes de alambre. Las vibraciones en las cuerdas son detectadas por los magnetos y transformadas en corriente eléctrica por los resortes de alambre; posteriormente, la señal es enviada hacia el amplificador a través de un cable.

Los micrófonos colocados hacia el puente de la guitarra captan tonos agudos mientras que los colocados hacia el diapasón captan tonos más graves.

Controles

Si hay micrófonos en la guitarra, habrá entonces por lo menos un control de volumen y un control de tono que le permita ajustar los sonidos de opacos a brillantes. Si tiene más de un micrófono, tendrá también un interruptor que le permitirá escoger el micrófono que desea activar o utilizarlos todos.

Además, debe haber espacio para una batería y un interruptor de energía. Este encenderá el preamplificador que le permitirá a la guitarra producir mayor volumen. En ocasiones, el interruptor posee una pequeña luz de tipo LED que indica cuando está encendido.

Izquierda: un micrófono de guitarra es una serie de magnetos o imanes. **Derecha:** controles de volumen y tono de una guitarra eléctrica.

Mástil

El mástil está adherido al cuerpo de la guitarra con pegante muy fuerte, tornillos, o ambos, y sobre esta unión la tensión de las cuerdas ejerce una gran presión.

El mástil debe fabricarse con madera robusta porque la presión que soporta puede curvarlo y torcerlo; este es un aspecto para considerar al comprar una guitarra nueva o usada.

Los cambios en la humedad y temperatura también pueden afectar la rigidez del mástil.

Alma

Dentro del mástil de las guitarras de encordado metálico hay una barra metálica que lo obliga a mantener su forma. El alma atraviesa el mástil y tiene un tornillo sobre uno de sus extremos que le permite realizar correcciones para enderezar el mástil. Debe ser muy cuidadoso al tratar de hacerlo por sí mismo; esta tarea tiene que ser realizada por un profesional.

Izquierda: mástil de una guitarra acústica.
Derecha: el tornillo del alma permite realizar ajustes pequeños al mástil.

Diapasón

El costado liso del mástil posee otra pieza de madera adjunta que es por donde recorre los dedos del guitarrista. Es el diapasón y puede fabricarse con madera de un tipo diferente a la del resto del mástil. Por lo general, está hecho de palo de rosa, arce o ébano.

esta distancia, más fácil será tocar porque se requerirá menor presión sobre la cuerda y los cambios en la posición de los dedos podrán hacerse con mayor rapidez. Hay que tener mu-

Trastes

El diapasón posee unas tiras metálicas incrustadas y levemente elevadas sobre él conocidas como trastes. Las cuerdas son presionadas contra ellos para hacer sonar las diferentes notas.

La distensión entre la cuerda y el traste se conoce como altura (acción). Cuanto menor sea

cho cuidado al ajustar la altura porque de lo contrario las cuerdas pueden zumbar contra los trastes.

El espaciado entre los trastes es crucial para la afinación de la guitarra: los trastes se acercan gradualmente entre sí al ascender por el diapasón. El traste doce se encuentra en la mitad de la longitud de la cuerda y tiene dos puntos sobre él. (Ver pag. 22).

Los trastes de aleación de níquel están incrustados en el diapasón.

Puntos guía

Clavijero

Incrustados a lo largo del diapasón, en ciertos lugares específicos, se encuentran algunos puntos que le permiten al guitarrista identificar la posición de varias notas. Estos diseños pueden tener forma de diamante, cuadrado, números u otros símbolos. También pueden estar hechos de diversos materiales como madera, plástico o madreperla.

Las guías se encuentran siempre en los trastes 3, 5, 7, 9, 12, 15, 17, 19 y 21. Tal como se mencionó anteriormente, el traste 12 tiene doble guía. Si el diapasón alcanza el traste 24, también habrá dos guías allí.

El clavijero está localizado en el extremo del mástil. También se conoce como la cabeza, algunas guitarras modernas no tienen clavijero para disminuir su peso. A cambio, las cuerdas se afinan desde la parte posterior del puente.

Izquierda: guía decorativa sobre el diapasón.
Derecha: clavijero de una guitarra Fender *Telecaster.*

Cejuela

Clavijas

Las clavijas son los afinadores de la guitarra. Al girarlas, se ajusta la tensión de la cuerda y sube o baja el tono de cada una de estas.

Algunas clavijas vienen completamente selladas; otras están abiertas en su parte trasera o cubiertas por una tapa. Por lo general, todas tienen algún acceso para permitir su lubricación y la mayoría puede ajustar o aflojar la rigidez de su acción giratoria.

Justo sobre el inicio del clavijero hay una banda de plástico acanalado, hueso o grafito indicando la posición cero de las cuerdas. El otro extremo de las cuerdas se encuentra sobre el puente, y su punto medio es el traste 12.

Izquierda: la cejuela está hecha de plástico resistente.
Derecha: clavija ornamentada de una guitarra acústica.

Poste de la clavija Cuerdas

El poste es la parte de la clavija que sobresale por su frente y tiene un orificio o ranura para introducir y enrollar la cuerda.

La forma de los postes es levemente cónica para que las cuerdas giren libremente alrededor de estos. El giro organizado de las cuerdas mantiene una adecuada afinación; aquellas vueltas superpuestas pueden deslizarse y arruinarla o alterarla.

Las cuerdas de nailon se utilizan principalmente en guitarras clásicas o de estilo español. Anteriormente las guitarras utilizaban cuerdas hechas con tripa (intestino) de oveja o caballo.

Este libro hace énfasis en las cuerdas de acero recubiertas de níquel. Algunas veces las cuerdas de acero se encuentran recubiertas de bronce para producir un sonido más cálido y brillante.

La mayoría de cuerdas tienen longitud estándar, aunque también se consiguen cuerdas más cortas para guitarras júnior o de mástil corto.

Izquierda: forma cónica del poste de la clavija.
Derecha: variedad de cuerdas.
Página de enfrente: cada cuerda de la guitarra es de diferente grosor.

Las cuerdas se consiguen en paquetes de seis, cada una de diferente grosor. Las más delgadas se usan para las notas más agudas. Las más gruesas tienen entorchados firmes de acero a su alrededor y normalmente su terminado es redondeado o plano.

Uno de los extremos de las cuerdas se enrosca alrededor de unos anillos llamados topes que evitan que esta se salga por los orificios del puente. Las cuerdas que tienen en sus extremos una punta metálica se conocen como *bullet* y estan hechas para mantener afinadas las guitarras que poseen barras de trémolo, adicionalmente soportan mucha tensión.

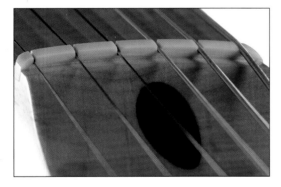

Los juegos de cuerdas tienen diverso calibre. El juego de cuerdas se consigue de acuerdo con su calibre: grueso, mediano, delgado y ultradelgado.

Las cuerdas de calibre más delgado requieren menor esfuerzo al tocarse y apretarse, aunque es más fácil hacerlas trastear. Las cuerdas más gruesas requieren mayor tensión para afinarse y suenan más fuerte. Las de calibre delgado se consideran estándar y se encuentran en la mayoría de las guitarras.

Incluso con diferentes calibres existe cierta variedad de peso o grosor. Esto se refiere al diámetro de la cuerda de calibre más delgado, o primera cuerda. En las delgadas puede oscilar entre 0,009 y 0,011 de pulgada. Las ultradelgadas disminuyen casi hasta 0,007.

Vale la pena ensayar cuerdas medianas para sonidos más fuertes y amplios con su guitarra.

Cambio de cuerdas

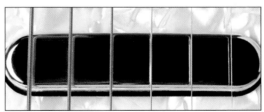

Las cuerdas de la guitarra deben remplazarse con frecuencia. Estas son uno de los componentes menos costosos del instrumento pero ejercen un efecto primordial en la calidad general del sonido. Su vida útil varía dependiendo de un gran número de factores que incluyen su

Plectros

Aunque técnicamente no son parte de la guitarra, los plectros, o uñas (picks: plumillas) como en ocasiones se les conoce, deben usarse para proteger sus uñas al rasgar las cuerdas.

Los plectros se consiguen en diversidad de formas y tamaños, y por lo general están hechos de nailon. El extremo con el cual se pulsa la cuerda es puntiagudo.

Los plectros se consiguen en diferentes espesores y se miden en centésimas de milímetro. Los más delgados son más flexibles y los más gruesos tienden a usarse con cuerdas de calibre más grueso que requieren mayor fuerza al pulsarse. El plectro adecuado depende de su escogencia y de factores como el tamaño de sus dedos y la fuerza con que toca el instrumento. Es aconsejable comprar varios y ensayarlos todos hasta encontrar su favorito.

antigüedad, la frecuencia con que se toca la guitarra, la fuerza con que se han pulsado las cuerdas y las condiciones a las que han sido expuestas, como la humedad o el polvo.

Las cuerdas deben cambiarse si observa cambios de color a lo largo de estas o si nota partes dañadas en el entorchado.

Es ideal cambiarlas una a la vez, de modo que el mástil permanezca bajo tensión constante. Habrá momentos en los cuales querrá cambiarlas todas a la vez para limpiar el diapasón, porque esta área se llena de polvo.

No deje la guitarra sin cuerdas durante un largo tiempo, el mástil puede torcerse y cambiar de forma, la altura nunca volverá a ser la misma. Tenga mucho cuidado las primeras veces que las cambie; es muy fácil lastimarse con sus extremos.

Remueva las cuerdas antiguas desenrollándolas en vez de cortarlas. Una vez las desenrolle de las clavijas, corte su extremo enroscado para poder desamarrarlas del puente con mayor facilidad. Es común remplazar primero las más gruesas y posteriormente las más delgadas.

Las cuerdas nuevas vienen enroscadas en sobres individuales. Es mejor colocarlas en orden. Utilice la guía del paquete para identificarlas. Desenróllelas cuidadosamente evitando flexionarlas o doblarlas.

Pásela a través del puente y hálela a lo largo del mástil hacia el clavijero donde deberá girar alrededor del poste de la clavija. Deje libre un trozo de cuerda para que pueda dar vuelta varias veces alrededor del poste evitando que esta se suelte al tocarla.

Izquierda: introduzca la cuerda por el poste de la clavija.
Derecha: en algunas guitarras eléctricas se introducen las cuerdas por la parte posterior del cuerpo.

Las cuerdas más gruesas requieren menos vueltas para mantener la presión que las delgadas, tres o cuatro alrededor del poste serán suficientes. Si deja más o menos 4 pulgadas (10 cm) en el extremo de cada cuerda, tendrá longitud suficiente para enrollarla.

Encordar las guitarras puede ser un poco difícil al principio porque las cuerdas tienden a soltarse del poste mientras las enrosca. Después de cierta práctica, encontrará la técnica adecuada.

Será más fácil si dobla con fuerza el extremo de las cuerdas más gruesas sobre el poste antes de empezar a enroscarlas. Después, utilice su pulgar o dedo índice para presionarla sobre la clavija y mantener la tensión al girarla. Trate de que las vueltas sean uniformes para evitar que se suelten posteriormente.

Una vez la cuerda ha sido enroscada completamente, presiónela suavemente entre la cejuela y el poste para ubicarla y ajustar sus vueltas.

Es difícil mantener las cuerdas delgadas en su lugar y tienden a soltarse mientras se enroscan. Algunas personas realizan un nudo simple alrededor del poste, aunque de este modo es más difícil retirarlas después. Es un truco útil pero si debe cambiar una cuerda durante una presentación será mucho más dispendioso hacerlo.

Arriba: doble la cuerda con fuerza alrededor del poste.
Izquierda: las guitarras acústicas tienen estaquillas que mantienen las cuerdas en su lugar.
Abajo: utilice su dedo para mantener la tensión de la cuerda.

Afinar la guitarra

Una vez puestas y ubicadas las cuerdas en su lugar, corte su extremo desde el poste. De este modo evitará sufrir rayones accidentales.

Después de haber encordado la guitarra, es hora de afinarla.

Izquierda: corte las cuerdas por detrás del poste de la clavija.
Derecha: afinador digital.

Es importante afinar adecuadamente la guitarra porque para aprender hay que acostumbrarse a escuchar los sonidos tal como deben sonar. Incluso es mucho más importante si va a tocar en compañía de otros músicos. La afinación se realiza con las cuerdas al aire, lo cual significa que la longitud total de la cuerda debe resonar sin poner los dedos sobre los trastes.

Afinadores

Electrónicos y digitales

Probablemente el modo más fácil de afinar la guitarra sea utilizando un afinador electrónico o digital. Este implemento es adecuado especialmente si usted es principiante, porque no es indispensable escuchar la afinación correcta.

Seleccione la cuerda que desea afinar con el afinador, púlsela al aire y ajuste la clavija hasta cuando la aguja o luz indiquen cero o a la marca de 440 Hz. Las guitarras eléctricas se conectan al afinador a través de un cable. Por lo general el afinador posee un pequeño micrófono que capta el sonido de las guitarras acústicas. Utilice el afinador en ambientes silenciosos.

La desventaja de los afinadores eléctricos es que la cuerda debe estar casi correctamente afinada para que el afinador reaccione e indique si su sonido es demasiado alto o bajo. Trate de evitar que la afinación de las cuerdas sea muy alta puesto que quedarán demasiado estiradas y se pueden romper. Intente afinarlas siempre hacia la altura correcta, asegurándose de empezar desde los tonos bajos. Esto puede lograrlo soltando o aflojando un poco la cuerda antes de iniciar.

Los afinadores cromáticos, que son un poco más costosos, reconocerán cualquier nota sobre la guitarra y le permitirán afinarla. Los mejores de este tipo evaluarán cada nota que toque y le suministrarán información inmediata acerca de su afinación. Su ventaja al utilizarlos cuando se es principiante consiste en que al responder a cualquier nota le indican aquella a la cual está más cercana y de este modo es más fácil decidir si debe ajustar la cuerda para que la nota sea más alta o aflojarla para que sea más baja.

Afinador electrónico.

Silbato afinador

Diapasones de horquilla

Los silbatos son muy similares a las flautas de pan y tienen seis boquillas a través de las cuales se puede soplar, una por cada cuerda. Es indispensable utilizar el oído para lograr los tonos producidos por el silbato, y esto requiere práctica. El tono producido al soplar por las boquillas varía levemente, dependiendo de la fuerza con la que se sople. Cualquier daño en ellas también afectará los tonos.

Generalmente, hay un diapasón para afinar una sola cuerda y a partir de esta las demás. Los diapasones usualmente afinan la cuerda la a 440 Hz, aunque también se encuentran disponibles diapasones para la cuerda mi.

Afinación con teclado

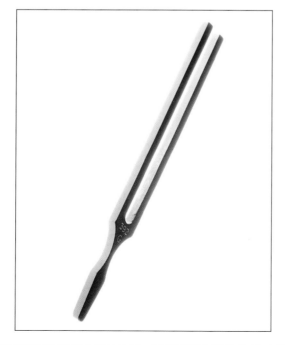

Otro método de afinación consiste en afinar utilizando como guía un teclado. En una banda todos deben afinar respecto al mismo instrumento; los teclados electrónicos son los mejores para realizar esta operación.

Izquierda: diapasón de horquilla.
Derecha: los teclados electrónicos pueden ser usados para afinar.

Es posible afinar una sola cuerda con el teclado y afinar las demás con respecto a esta o afinar cada una de las cuerdas con su nota relativa en el teclado; lo segundo para los teclados electrónicos, puesto que su afinación es confiable. La afinación con pianos puede ser problemática si el piano en sí no está afinado.

Las notas en la guitarra

Antes de afinar la guitarra es indispensable conocer algunos datos acerca de las notas y las cuerdas de una guitarra estándar.

Las cuerdas están numeradas de uno hasta seis, y la cuerda más alta o aguda es la número uno. Sobre el encordado de la guitarra, cada una de las cuerdas al aire está asociada con una nota a la cual debe afinarse. Las notas en una guitarra estándar de seis cuerdas son:

Mi	La	Re	Sol	Si	Mi
6a	5a	4a	3a	2a	1a

La 6ª (mi) es la cuerda más gruesa y la 1ª (mi) es la más delgada. Aunque ambas cuerdas son notas mi, la altura de la delgada es dos octavas mayor que la de la gruesa.

Octavas

En la música occidental hay siete notas, cuyos nombres son

La Si Do Re Mi Fa Sol

Al llegar a sol, se empieza de nuevo con la (esta escala de ocho notas se llama una octava).

La Si Do Re Mi Fa Sol
La Si Do Re Mi Fa Sol

La segunda aparición de cada nota debe estar perfectamente afinada con la primera, pero su altura debe ser una octava más arriba. El teclado de un piano estándar tiene siete octavas y un cuarto de lado a lado.

Al aprender por primera vez las notas sobre la guitarra, invente algún juego de memoria que le permita recordarlas; por ejemplo: **mi**entras **la**nza **re**cibe **sol** **si**n **mi**rar. Es suficiente conocer los nombres de las cuerdas para afinarlas con un afinador electrónico, silbatos o un teclado.

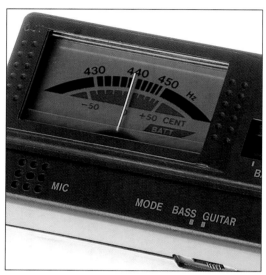

Centro: cuando la cuerda esté afinada, la aguja se encontrará firme en el centro de la pantalla.

Si afina con afinadores electrónicos, es indispensable girar completamente los controles de tono y volumen de la guitarra. Pulse la cuerda que va a afinar una sola vez y observe la pantalla mientras ajusta lentamente la cuerda con la clavija. Permita que la cuerda vibre al aire durante cierto tiempo hasta cuando la nota empiece a silenciarse, y entonces púlsela de nuevo. Al lograr la afinación correcta, el indicador debe reposar firme sobre la marca de afinación óptima, sin balancearse.

Una nota que sostiene un tono durante algún tiempo se denomina sostenida.

La afinación con el oído es difícil y la rapidez para lograrlo depende de su habilidad para la música.

Obtener las mismas notas de otro instrumento, ya sea un teclado o un silbato, puede ser confuso porque incluso cuando las notas son las mismas, el timbre de los instrumentos es diferente. Debe concentrarse en escuchar la altura de la nota, cuán alta o baja suena, y tratar de reproducirla, ignorando las características del instrumento.

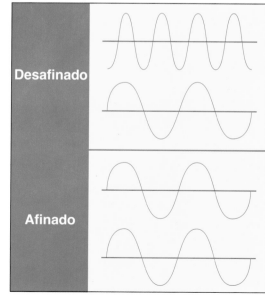

Desafinado

Afinado

Al acercarse podrá escuchar cómo oscilan los dos tonos.

Será necesario disminuir la diferencia de oscilación. Si se acelera de nuevo, habrá pasado por el punto de afinación perfecta y deberá girar las clavijas en dirección opuesta. La afinación perfecta se logra cuando la oscilación disminuye y los dos tonos quedan perfectamente iguales.

Si utiliza un diapasón de horquilla para afinar la guitarra, sosténgalo por la punta en donde se unen sus dos brazos, con su pulgar e índice. Golpee la parte superior del diapasón una sola vez contra una silla o mesa y luego sostenga su extremo contra el cuerpo de la guitarra para escuchar el tono que produce.

Puede ser un poco difícil sostener el diapasón de horquilla, tocar la cuerda y girar las clavijas al mismo tiempo, por eso es mejor pulsar primero la cuerda y luego el diapasón con la misma mano. Si logra hacerlo, escuchará el mismo tipo de efecto de oscilación descrito anteriormente, en el cual la diferencia entre los dos tonos se reduce cuando las oscilaciones se aproximan. Entonces está afinado.

Sólo puede afinar una cuerda con el diapasón. La escogencia de la cuerda depende del tono del diapasón. Usualmente es la 5ª cuerda.

Para afinar una cuerda con otra, debe conocer algunas notas sobre el diapasón de la guitarra y sus relaciones entre sí. Observe las notas sobre los primeros cinco trastes de la guitarra. Los tonos completos como estos se denominan notas naturales.

Izquierda: sostenga el diapasón de horquilla contra el cuerpo de la guitarra para escucharlo.

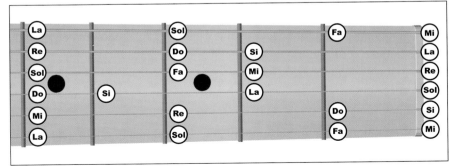

Si observa los nombres de las cuerdas al aire y los compara con los nombres de las notas sobre el quinto traste una cuerda más baja en tono, observará que son iguales. La única cuerda que no sigue este patrón es la cuerda si que aparece en cambio en el cuarto traste de la cuerda tercera (ver el diagrama en la página anterior).

Todas son exactamente la misma nota. Re en el quinto traste de la cuerda; la es exactamente la misma cuerda re al aire. La misma nota, mismo tono, misma octava, todo igual; es un duplicado. Así podemos afinar la guitarra comparando una cuerda al aire con una nota sobre un traste en otra cuerda. Para afinar una cuerda con otra, siga el patrón en el diagrama.

De este modo, la afinación es más fácil porque las notas deben sonar exactamente igual. Sin embargo, hay que escuchar las oscilaciones en el tono.

Cómo tocar armónicos

Puede utilizar los armónicos para confirmar su afinación, especialmente cuando está muy cerca de la afinación precisa. Los armónicos son tonos especiales que aparecen en ciertos puntos sobre el diapasón y pueden crear una nota sin tener que presionar la cuerda sobre el traste.

Derecha: presione muy suavemente la cuerda para tocar un armónico.

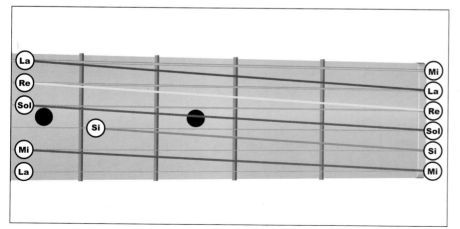

Los armónicos aparecen en ciertos puntos a lo largo del mástil, entre la cejuela y el puente, y se ubican sobre determinados trastes.

Los armónicos se encuentran en los trastes 5, 7, 12, 19 y 24 (si lo posee). La posición sobre el traste 24, por lo general, está alrededor del punto donde está el primer micrófono.

El traste 12 está en la mitad de la longitud de la cuerda. Los trastes 5 y 24 se encuentran a un cuarto y tres cuartos de la longitud, y los 7 y 19 a uno y dos tercios.

Para tocar un armónico ponga suavemente su dedo sobre la cuerda en el traste correcto sin presionarla hacia este, y pulse la cuerda con un plectro. Deberá escuchar un tono puro.

Será indispensable variar suavemente la posición de su dedo sobre el traste para obtener el mejor tono. Variar la posición del sitio en el cual pulsa la cuerda con el plectro también será útil.

La posición del armónico del traste 12 se conoce como primer armónico.
La posición del armónico del traste 7 se conoce como segundo armónico.
La posición del armónico del traste 5 se conoce como tercer armónico.

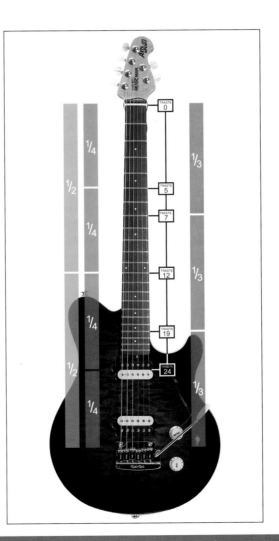

Diagrama en el cual se muestran las divisiones de una cuerda en los sitios donde aparecen los armónicos.

Afinación alternativa

La afinación con armónicos sigue un patrón similar a la afinación entre cuerdas. Al tocar armónicos, note que los tonos producidos por el tercer armónico son los mismos producidos en el segundo armónico de la siguiente cuerda de altura superior.

Por tanto, este método puede utilizarse para afinar o revisar la afinación de todas las cuerdas, excepto la cuerda irregular si. Para esta cuerda es más recomendable utilizar el método de "cuerda con cuerda".

Existen otros métodos de afinación además de mi, la, re, sol, si, mi, aunque esta es la forma estándar, más común e indispensable para seguir el método de este libro.

Una variación popular de la afinación estándar consiste en bajar la afinación de la 6ª cuerda un tono entero hasta lograr un re, permitiendo tocar notas más bajas. Entonces las cuerdas al aire serán re, la, re, sol, si, mi.

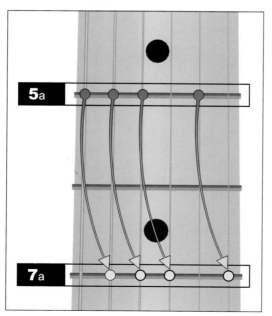

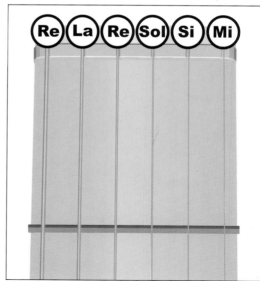

Algunas personas afinan sus guitarras hacia un acorde, de modo que al tocar todas las cuerdas al aire, suena un acorde completo.

La afinación hacia el acorde en mi mayor o mi menor es común, permitiendo formar los acordes al colocar un dedo a través de todas las cuerdas. También se utiliza la afinación en re o sol.

Estos métodos se utilizan en la música country o blues, donde las guitarras se tocan con cuellos de botella *(bottlenecks)* o deslizadores *(slides)*.

Al desafinar las cuerdas para lograr notas más bajas de las convencionales, generará zumbidos o "trasteo" de las cuerdas contra los trastes, porque estarán más flojas que antes.

La reafinación de las guitarras también afecta al mástil, porque la mayoría de las guitarras fueron hechas para una afinación estándar con un ajuste cuidadoso del alma (la barra metálica interna). La diferente tensión de las cuerdas usada en métodos alternativos de afinación puede torcer el mástil de su guitarra.

Los métodos de afinación alternativos requieren también el aprendizaje de nuevas posiciones de las notas y de las formas de los acordes que se ajusten a estas.

Algunos cuellos de botella *(bottlenecks)* y deslizadores *(slides).*

Conocimiento y habilidades básicas

Este capítulo inicia explicando qué son los acordes y cómo se forman.

Como los acordes generalmente son difíciles de formar con los dedos mientras va aprendiendo a tocar, empezaremos con unos acordes sencillos y parciales que pueden crearse con unas pocas cuerdas y un par de dedos.

Una vez que pueda dominar la forma de los acordes con los dedos de la mano izquierda, le explicaremos los principios del ritmo.

Al empezar a tocar le costará un tiempo poner en forma los músculos de sus dedos; por esto es importante tomarse el tiempo suficiente antes de avanzar.

Cuando sus dedos estén listos, podrá empezar a hacer acordes completos. Comenzaremos conociendo algunos de los más comunes.

Posición para tocar

Antes de embarcarse en los primeros acordes, analizaremos la posición que debe adoptarse mientras se toca la guitarra.

Realmente no es importante si se encuentra sentado o parado al hacerlo pero, si está de pie durante largos periodos con una guitarra pesada sujeta con una correa alrededor de su cuello y hombros, comenzará a sentir su peso.

Es lógico sentarse y tocar mientras está estudiando, y ponerse de pie si practica para una presentación, así incrementa su resistencia.

Cualquiera que sea su decisión, la comodidad será siempre el objetivo principal. Jamás debe sostener la guitarra con sus manos, debe colgarla correctamente de una correa o ponerla sobre sus muslos si se encuentra sentado. Sus manos deben estar libres para tocar y no para sostener el peso de la guitarra.

Izquierda: guitarra tocada de pie.
Derecha: guitarra tocada sentado.

Es común sentarse en bancas para tocar porque los brazos de las sillas limitan su movimiento. La altura a la cual se siente no es importante y tampoco importa la pierna que utilice para posar la guitarra, ni si sus piernas están cruzadas. La longitud de la correa es igualmente poco importante en cuanto sea cómoda.

Su mano izquierda debe deslizarse cómodamente a lo largo del mástil de la guitarra sin ejercer fuerza en la muñeca. Trate de colocar la yema de su pulgar en el centro de la parte posterior del mástil de la guitarra y ponga los dedos de la misma mano frente a las cuerdas, luego deslice su mano a lo largo del mástil varias veces para evaluar su posición.

La postura de la mano izquierda depende en parte del tamaño de sus manos y de la ubicación que desee para la parte superior de la guitarra (alta o baja). Cualquier posición que escoja deberá facilitar el movimiento de su pulgar, rápido y sin dificultad, desde el centro hacia los extremos del diapasón.

Su mano derecha deberá quedar libre para pulsar las cuerdas de manera pareja con el *pick* o plectro, y para deslizarse entre los micrófonos o hacia la boca de la guitarra al pulsar las cuerda.

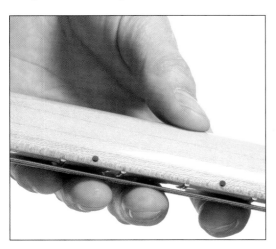

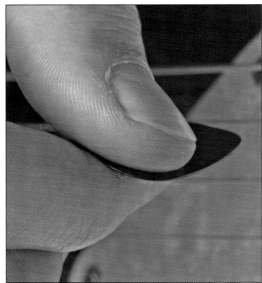

Izquierda: coloque el pulgar en el centro del mástil.
Derecha: sostenga el plectro entre el pulgar y el índice.

Mientras rasguea la guitarra, gran parte del movimiento debe generarse en la muñeca. Su brazo debe estar relajado y crear muy poco movimiento en el antebrazo.

El plectro *(pick)* se sostiene entre el pulgar y el índice, pero no lo presione con demasiada fuerza porque tensionará su mano. Le tomará cierto tiempo encontrar el balance adecuado entre el ajuste y la relajación y es probable que algunos plectros salgan volando por la habitación antes de encontrar el equilibrio.

Al aprender a tocar por primera vez, existe la tendencia a tensionarse y a coger con fuerza la guitarra y el plectro: realice algunas pausas y oblíguese a descansar. Su control y sus reflejos serán mejores si está relajado. Incluso cuando ve a sus ídolos azotando y haciendo girar la guitarra a su alrededor con rabia y furia, están tocando bajo control. Relájese y disfrute.

La posición que adopte al tocar la guitarra dependerá del estilo de guitarra y de música que escoja. Los guitarristas líderes tienden a tocar hacia el centro del cuerpo de la guitarra, mientras que los guitarristas rítmicos crean sus formas hacia el puente de la guitarra.

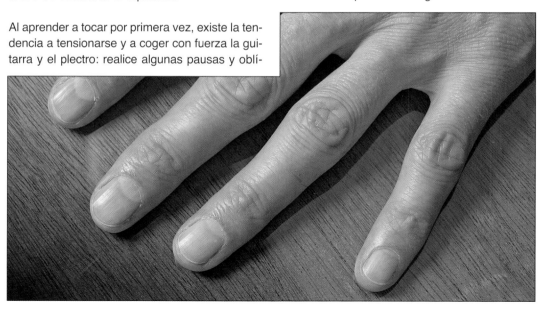

Las uñas deben estar cortas y limpias.

Guitarristas zurdos

Sus manos y uñas deben estar limpias y secas, las desportilladuras y rupturas en las uñas deben limarse para que los bordes irregulares no se enreden en las cuerdas.

Las uñas de su mano izquierda deben estar cortas porque las uñas largas le dificultarán mantener las cuerdas contra los trastes. Las uñas de la mano derecha pueden estar más largas si desea utilizarlas para tocar las cuerdas, aunque se enredarán y rasgarán fácilmente si no es cuidadoso.

Los guitarristas zurdos adoptan diferentes posiciones al tocar la guitarra.

Algunos simplemente giran una guitarra para diestros al contrario y se ingenian la forma de tocarla ¡de atrás hacia delante y boca abajo! Otros colocan las cuerdas de la guitarra en dirección inversa o la giran al contrario manteniendo las cuerdas más gruesas en la parte superior. De esta manera, el mástil puede afectarse y torcerse porque las cuerdas más gruesas crean mayor tensión sobre este que las delgadas, y el alma ha sido diseñada de manera precisa para guitarristas diestros.

Las guitarras para zurdos son fáciles de conseguir, así que no es necesario adaptar una para diestros; otros zurdos simplemente deciden tocar como los diestros. El texto y los diagramas de este libro suponen que aprenderá a tocar guitarra para diestros.

Variedad de guitarras para zurdos.

Ejercicios

Acordes

Infortunadamente, no hay modo de evitar el dolor. Cuando empiece a tocar la guitarra sentirá dolor ¡y no sólo en los oídos! Las puntas de sus dedos en la mano izquierda quedarán adoloridos y con ampollas; del mismo modo, los músculos de los dedos se tornarán rígidos.

Sin embargo, rápidamente, la piel se volverá resistente y sus músculos se acostumbrarán a las diferentes posiciones, de modo que no sentirá tanto dolor. Si detiene su práctica durante un largo tiempo, estos problemas regresarán.

Si experimenta problemas en este proceso, no se rinda, y trate de descansar sus manos en días intermedios, en vez de continuar practicando.

Tal como ocurre con los trabajos físicos, es buena idea calentar los músculos antes de iniciar y relajarlos de nuevo, después de practicar. Puede hacerlo flexionando los dedos repetidamente, moviendo la muñeca y los dedos suavemente hacia adelante y hacia atrás con la otra mano y agitando las manos y los dedos para finalizar.

Ejercite regularmente los dedos tamborileando con ellos hacia adelante y hacia atrás rítmicamente. Puede también comprar ejercitadores para dedos en tiendas de guitarras. Es de gran ayuda además oprimir bolas suaves repetidamente.

Antes de ensayar acordes simples, deberá entender qué son los acordes y las notas.

Los acordes son grupos de notas que suenan muy bien juntas, compuestos por tonos que se complementan entre sí. Existen reglas que pueden aplicarse a estas relaciones y que facilitan recordar y producir los acordes.

Hay siete notas en la música occidental, nombradas desde la hasta sol y sus acordes tienen estos mismos nombres. Los acordes de sol tendrán la nota sol como nota principal o tónica. El resto de las notas en estos acordes se encuentran en sitios específicos dentro de la escala de la nota tónica.

Una escala es un patrón establecido de notas basado en la nota tónica que nos indica las notas armoniosas que pueden tocarse junto a ella.

Acorde de sol mayor

La escala de sol mayor está compuesta por las notas sol, la, si, do, re, mi, y fa sostenido. Sus razones serán explicadas posteriormente. El acorde de sol mayor está compuesto por tres notas lo que se conoce como una "tríada"; estas son la primera, tercera y quinta de la escala, en este caso las notas sol, si y re.

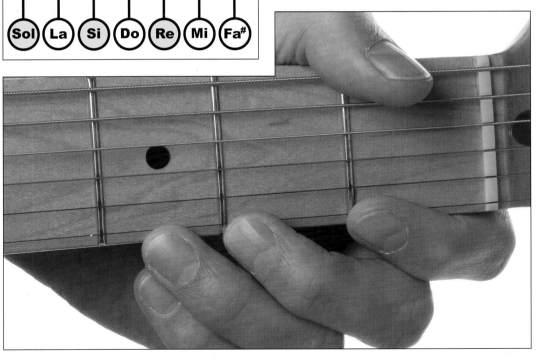

Si conoce las notas de una escala mayor podrá realizar fácilmente el acorde principal utilizando siempre la 1ª, 3ª y 5ª notas.

Puede tocar fácilmente un acorde en sol mayor sobre una guitarra pulsando las cuerdas re, sol y si al aire y asegurándose de evitar o bloquear las otras tres cuerdas; infortunadamente, no todos los acordes son tan fáciles.

En diagramas de acordes es muy usual señalizar las cuerdas al aire con una "o" y las cuerdas que deben ser ignoradas con una "x".

Izquierda: acorde de sol mayor al aire.

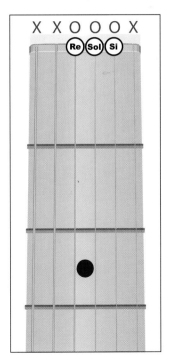

Al utilizar sus dedos sobre el diapasón para obtener una nota o pisar una cuerda, sostenga la cuerda pasando la mano por detrás del mástil, hacia el clavijero y produzca la nota dentro el traste en sí. Para producir una nota buena y limpia, la cuerda debe resonar libremente desde el traste hasta el puente. De hecho, se acorta la cuerda para cambiar su afinación. Si coloca su dedo directamente sobre el traste ahogará el sonido.

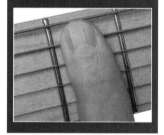

Derecha: sol mayor con un dedo sobre la cuerda mi.

En el teclado pueden tocarse sólo acordes de tres notas, pero la guitarra tiene seis cuerdas que deben tocarse. Debemos encontrar un modo de incluir más cuerdas en el acorde. Podemos lograr el sonido del acorde añadiendo algunas notas adicionales a las 1ª, 3ª y 5ª en este caso unas notas sol, si o re.

Si observa de nuevo todas las notas sobre el extremo inferior del diapasón notará que al presionar la primera cuerda mi en el 3er traste, es más fácil añadir otra nota sol al acorde. De este modo, el acorde es más fácil de tocar, puesto que simplemente tendrá que evitar tocar dos cuerdas gruesas de los bajos, mi y la. Así el acorde tendrá un sonido suave y alto pero enfatiza en sol en cuanto incluye dos veces esta nota.

Para añadir al acorde un sonido más profundo podríamos agregar una nota producida sobre una de las cuerdas más gruesas. Hay una nota si sobre el segundo traste de la cuerda la. Ponga su dedo en este traste y toque el acorde, evitando pulsar ambas cuerdas mi.

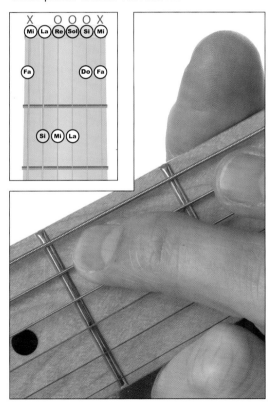

Extienda este acorde con la nota sol ubicada en la cuerda mi del bajo. Esta se encuentra en el tercer traste como lo hacía para mi aguda. Ponga su dedo índice sobre el segundo traste de la cuerda la y su dedo del corazón sobre el tercer traste de la cuerda del bajo mi.

Para tocar el acorde de sol, toque las notas una por una, asegurándose de que produzcan un sonido claro y que no sean bloqueadas por sus dedos; luego púlselas con mayor rapidez hasta cuando se oiga como si todas las cuerdas tocasen un solo sonido.

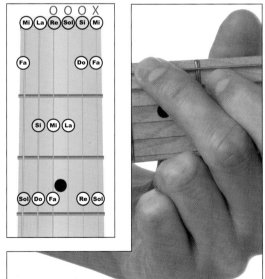

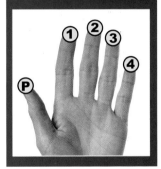

Numeración de los dedos

A partir de ahora nuestros diagramas de acordes estarán marcados con números que representan los cuatro dedos de la mano izquierda: La "P" se utilizará en caso de requerir el uso del pulgar.

Izquierda: sol mayor con un dedo sobre la cuerda la.
Derecha: sol mayor con dos dedos.

Acorde completo de sol mayor.

Intente tocar el acorde de diferentes maneras con su mano derecha. Puede hacerlo lenta o rápidamente, firme o suavemente, desde la parte frontal del cuerpo o hacia el puente en la parte posterior del cuerpo. Escuche los diferentes sonidos producidos al tocar el mismo acorde de diferentes formas.

El acorde de sol mayor completo, con todas las seis cuerdas, usa la nota sol desde mi agudo, así como si y sol. Puede añadir el dedo del corazón en la cuerda mi del bajo, en el tercer traste para tocar este acorde. Este estiramiento es un poco difícil al comienzo, pero con práctica será más fácil.

Una manera alternativa de formar este acorde requiere el segundo, tercer y cuarto dedos. Tendrá dificultad en esta etapa de su desarrollo utilizando el dedo meñique, pero el uso de estos dedos permite una mejor posición de la mano para tocar otros acordes.

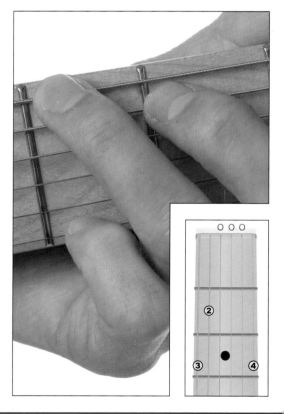

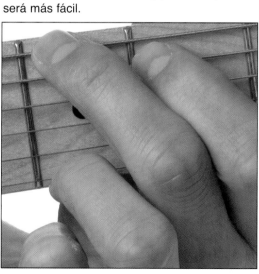

Sol mayor

Como puede ver, para crear acordes debe encontrar las notas correctas sobre el diapasón y posteriormente poner sus dedos en estos puntos. Observando el diagrama del diapasón puede notar que hay varios lugares donde las notas sol, si y re aparecen y podrá producir un acorde de sol mayor tocándolas en cualquiera de estos puntos.

Aunque estos acordes están compuestos por las mismas notas, todos suenan de manera levemente diferente entre sí. Esto ocurre porque tienen diferente número de notas en ellos. Uno tendrá más notas sol que si o re, mientras que otro tendrá más notas si. Estas diferentes formas del mismo acorde se conocen como inversiones.

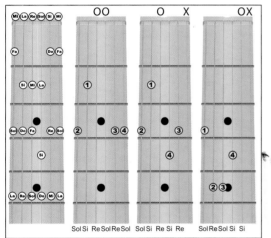

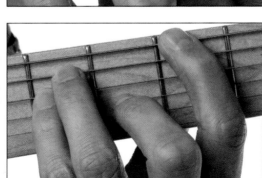

Acordes de sol mayor alternativos.

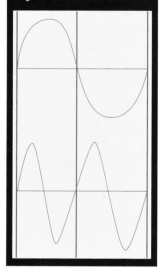

Si pudiéramos observar las ondulaciones que produce cada uno de los tonos, notaríamos que la forma de la onda de cada octava ascendente es exactamente igual a la longitud media descendente.

Cada repetición de una escala eleva o disminuye su altura.

Otro factor que afecta el sonido del acorde es el balance entre las notas bajas y las notas altas. Si observa el acorde de sol mayor original podrá notar que contiene tres notas sol en él. Si toca un sol a la vez escuchará que, aunque corresponden a la misma nota, tienen diferente altura. Esto sucede porque al llegar al final de las siete notas en una escala, estas empiezan de nuevo, repitiéndose y elevando su altura. El segundo sol se encuentra a ocho notas, una octava de distancia del primer sol. Cada repetición de una nota está una octava arriba o por debajo de la anterior.

Lo principal para recordar con los acordes mayores es que están compuestos por la 1ª, 3ª y 5ª notas de su escala y que podemos tocar tantas notas de estas como deseemos produciendo los sonidos correctos del acorde. Es útil saberlo al aprender a tocar, cuando sus dedos aún no se estiran suficientes como para crear el acorde completo. Puede elegir las notas que desea tocar para crear acordes parciales. Recuerde simplemente ignorar o silenciar las cuerdas cuyas notas no se encuentren dentro del acorde.

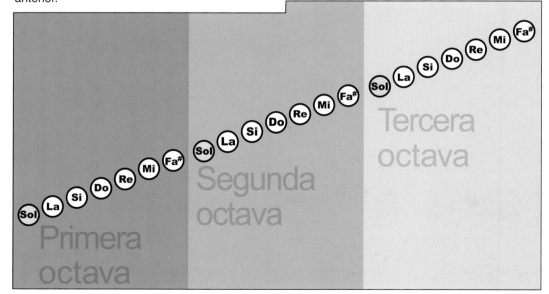

Acorde de do mayor

Expandamos nuestro repertorio y observemos otros acordes parciales que podemos tocar.

El siguiente acorde es el de do mayor. Esta vez utilizaremos la 1ª, 3ª y 5ª notas de la escala de do. Las escalas se explicarán en el capítulo "Cómo leer y escribir música".

La escala de do mayor es do, re, mi, fa, sol, la, si; lo cual significa que el acorde de do mayor está compuesto por do, mi y sol. Si observa las notas sobre el diapasón, podrá identificar dónde se producen las notas del acorde.

Hay una versión disponible con dos dedos utilizando las cuatro cuerdas inferiores e ignorando las dos más agudas.

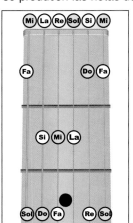

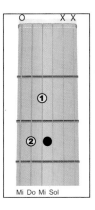

En su forma más simple, el acorde de do mayor puede tocarse poniendo un dedo sobre el primer traste de la cuerda si, ignorando las tres cuerdas de los bajos.

Ensaye ambas formas, una vez más tocando cada una de las cuerdas para asegurarse de que suenan claramente antes de pulsarlas como acorde.

Arriba: do mayor con un dedo.
Abajo: do mayor con dos dedos.

Cambios de acorde

Cómo ya sabe tocar dos acordes, debe empezar a practicar intercambiándolos. Al principio el intercambio será un proceso muy lento, mientras sus dedos luchan para tomar la forma requerida, pero posteriormente será algo muy fácil para usted.

Use las versiones de los acordes con dos dedos para practicar intercambios entre ellos e intente utilizar su segundo y tercer dedos, así como el primero y segundo.

Empiece contando cuatro rasgueos hacia abajo en el acorde de sol mayor y luego cambie al de do mayor realizando también un conteo de cuatro. Mantenga un paso lento y parejo, evitando pausas largas entre los intercambios. No presione con demasiada fuerza las cuerdas; una digitación suave permite cambios más rápidos.

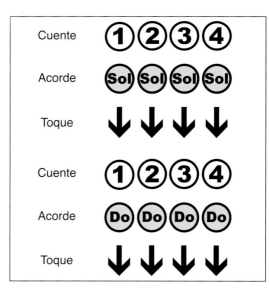

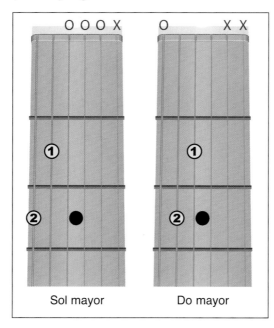

Acordes de sol y do mayores con dos dedos.

Cuando su conteo de cuatro sea parejo con cuatro rasgueos, empiece a añadir rasgueos hacia arriba con el *pick* entre algunos de los conteos, manteniendo los golpes hacia abajo a la misma velocidad anterior.

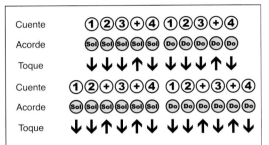

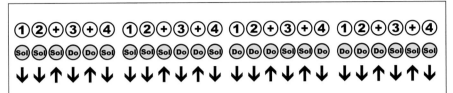

Cuando sienta confianza intercambiando estos acordes, añada algo de variedad haciéndolo a la cuenta de dos y a la cuenta de cuatro. Intente además variar el ritmo añadiendo toques adicionales entre cada conteo, realizando hasta tres o cuatro toques por conteo.

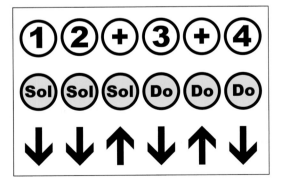

Cuando sienta que puede intercambiar los acordes con facilidad, intente hacerlo en cada conteo.

Practique tocando diferentes ritmos, siguiendo patrones de ejercicios como el que se muestra a continuación.

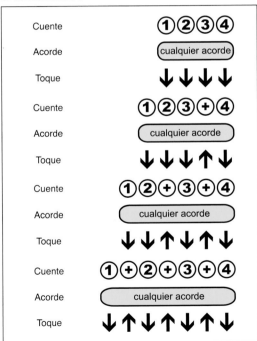

Compases

La música popular, en su mayoría, está escrita en compases de cuatro cuatros, lo cual significa que cada compás incluye cuatro pulsos (tiempos). La música escrita está dividida en secciones de tiempos iguales conocidos como compases. Esto significa, respecto a lo que sabemos hasta el momento, que la música debe contarse de uno hasta cuatro.

1 2 3 4   1 2 3 4

Si cuenta los espacios entre los conteos, debe emplear la palabra "y" sin variar el ritmo entre los números.

1 y 2 y 3 y 4

Sostenidos y bemoles

Los dos acordes aprendidos funcionan bien en conjunto, pero un tercero le añadiría variedad al sonido y complejidad a las digitaciones.

El tercer acorde es el de re mayor. La escala mayor para re es re, mi, fa#, sol, la, si, do#, de modo que la 1ª, 3ª y 5ª notas son re, fa# y la.

Esta es la primera vez que tocamos una nota sostenida; por tanto, deberemos saber qué son.

Si observa las notas sobre el diapasón, notará que hay espacios entre algunas de ellas. Este espacio corresponderá a una nota sostenida o a un bemol. El segundo traste de la cuerda mi aguda, entre las notas fa y sol puede ser un fa sostenido o un sol bemol. Las notas son sostenidas en cuanto se elevan medio tono hacia la siguiente nota y bemoles cuando se acercan medio tono hacia la anterior.

Fa sostenido y sol bemol se consideran la misma nota, por eso se conocen como "equivalentes enarmónicos".

Los sostenidos y bemoles en el diapasón de la guitarra corresponden a las teclas negras de un teclado.

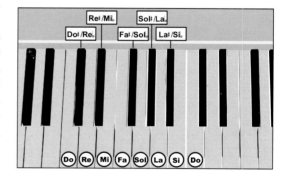

Derecha: todas las notas de los primeros cinco trastes incluyendo sostenidos y bemoles.

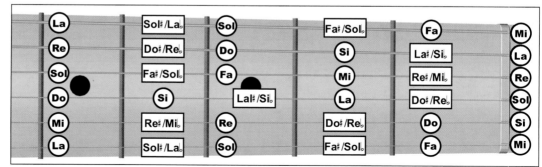

Habrá notado que no hay espacio alguno entre las notas si y do y las notas mi y fa. Esto porque si sostenido es exactamente igual a la nota do, y do bemol es exactamente igual a la nota si. Lo mismo aplica para mi y fa. Si observa un teclado, notará que no hay teclas negras entre si y do, ni entre mi y fa.

Para ayudarle a entender si las notas deben llamarse sostenidos o bemoles hay una regla general para seguir que determina que ninguna nota debe aparecer dos veces en la misma escala. Esto significa que en una escala no puede haber do y do sostenido a la vez; el do sostenido debe llamarse entonces re bemol. Por tanto, la escala de sol mayor debe utilizar un fa sostenido porque el sol ya se encuentra presente en la escala.

Existen símbolos musicales que representan los bemoles y sostenidos.

El símbolo para sostenidos es #.

El símbolo para bemol es ♭.

Si una nota no es sostenida ni bemol, se dice que es natural y el símbolo para una nota natural es ♮.

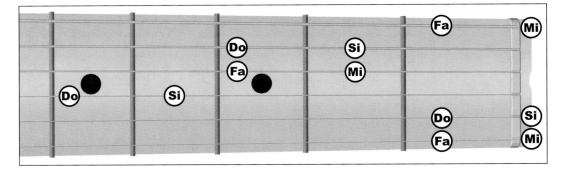

Izquierda: no hay espacio para sostenidos ni bemoles entre estas notas.

Acorde de re mayor

Regresando al acorde de re mayor, debemos identificar la posición de las notas re, fa sostenido y la de este acorde en el diapasón.

Si nos mantenemos sobre las cuatro últimas cuerdas que hemos estado utilizando con los acordes de sol y do mayor, podemos crear un acorde de re mayor poniendo un dedo sobre el segundo traste de mi bajo y otro sobre el segundo traste de la cuerda sol.

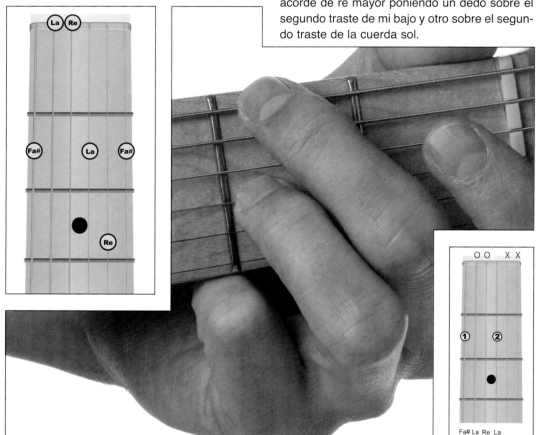

Izquierda: apariciones de la, re y fa#.
Derecha: acorde de re mayor con dos dedos.

Nuevamente, asegurese de escuchar todas las notas limpiamente antes de tocar el acorde, y luego tratar de intercambiar los tres acordes.

nes cortos repetidos, conocidos como *riffs*. Ya posee su primera tonada basada en el acorde de sol mayor.

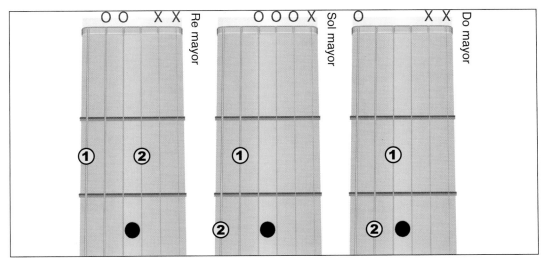

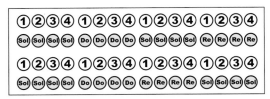

Note cómo el sonido de su tonada parece querer retornar al acorde de sol mayor al final de su recorrido. Se dice que la tonada está en sol mayor. Observaremos las tonalidades en el capítulo "Cómo leer y escribir música".

Cuando pueda tocar el anterior patrón fácilmente, trate de intercambiar los acordes cada dos pulsos. Juegue con el ritmo, orden y compás de estos acordes para construir tonadas o patro-

Una agrupación de tres acordes se conoce como "progresión de tres acordes" y se utilizan comúnmente en la composición de canciones. Hay una progresión de tres acordes para cada tonalidad, tal como observaremos posteriormente.

Versión de los acordes de sol, do y re con dos dedos.

Acordes completos

Izquierda superior: sol mayor usando segundo, tercero y cuarto dedos.

Izquierda inferior: sol mayor usando primero, segundo y tercer dedos.

Derecha: acorde de do mayor.

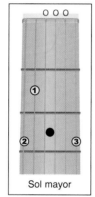

Sol mayor

Sol mayor

Una vez se ha acostumbrado a tocar estos acordes de dos dedos, debe empezar a tocar acordes completos de seis cuerdas. Todos los acordes estudiados hasta el momento utilizan tres dedos cuando se tocan correctamente; al inicio requerirá mayor agilidad.

El acorde de sol mayor requiere mayor estiramiento porque deberá lograr una nota sol sobre las cuerdas mi bajo y superior al mismo tiempo. Utilice su primero, segundo y tercer dedos y luego su segundo, tercero y cuarto dedos hasta encontrar el que le parezca más cómodo.

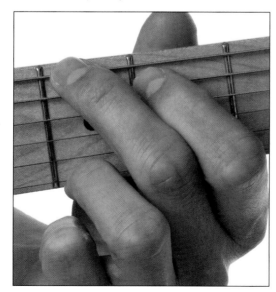

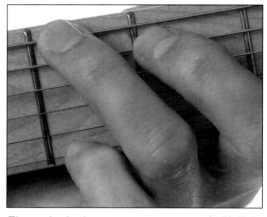

El acorde de do mayor es un poco más fácil de hacer. Ponga su primer dedo sobre el primer traste de la cuerda si para tocar un do, y luego coloque su segundo y tercer dedos en la misma posición anteriormente digitada.

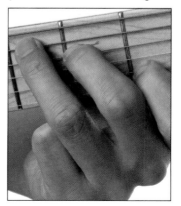

Do mayor

El acorde de re mayor es algo simple de tocar pero puede ser engañoso al pasar de un acorde a otro entre los que hemos estudiado.

Ponga su primer dedo en el segundo traste de la cuerda sol para tocar una nota la. Luego ponga su segundo dedo en el segundo traste de la cuerda mi aguda para producir un sol y finalmente ponga su tercer dedo sobre el tercer traste de la cuerda si que produce un re.

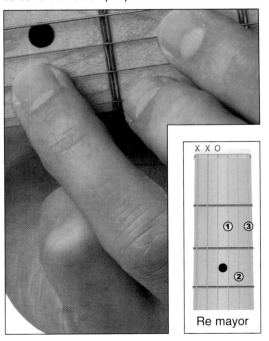

Re mayor

Alternativamente, puede poner el primer dedo a través de las tres cuerdas agudas y usar su segundo o tercer dedo para formar una nota re. Esto se llama cejilla.

Estos acordes completos tienen un timbre más rico que sus versiones parciales; debe experimentar libremente con ellos hasta producir el sonido que desea de la música.

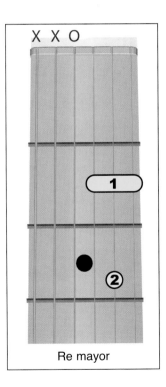

Re mayor

Izquierda: acorde de re mayor.
Derecha: cejilla para el acorde de re mayor.

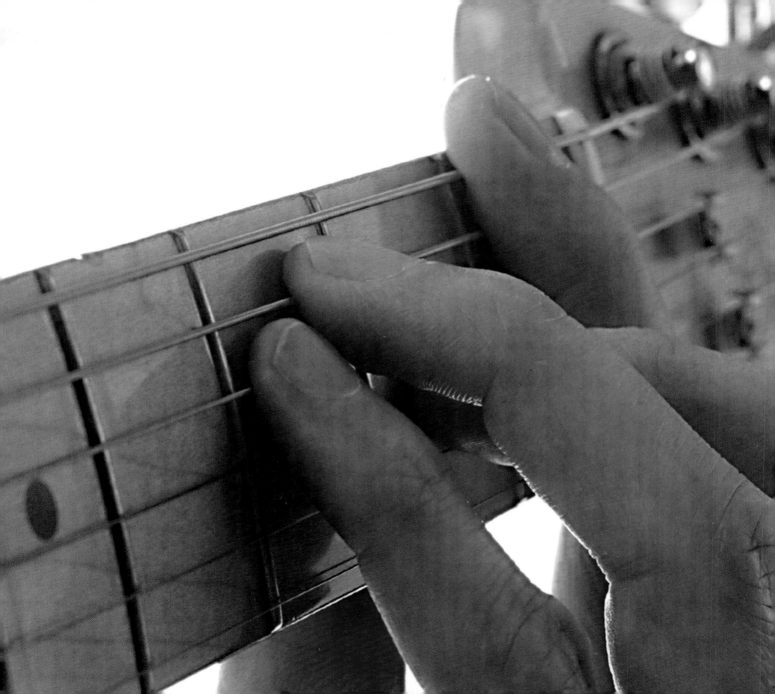

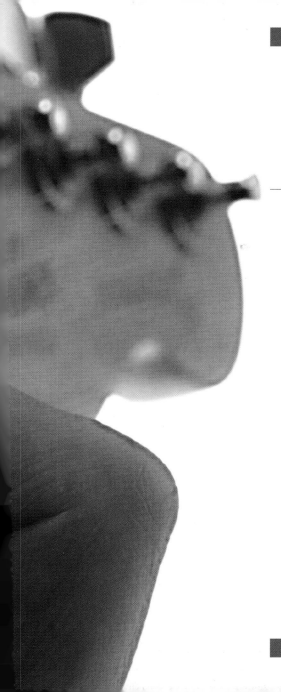

Acorde con cejilla

En este capítulo empezaremos a estudiar los acordes con cejilla. Estos no implican cuerdas al aire y se llaman de esta manera porque los guitarristas utilizan un dedo, usualmente el índice, para crear una barra a través de las cuerdas sobre el diapasón.

La forma principal de este tipo de acorde se basa en el acorde de fa mayor y los dedos pueden moverse a lo largo del diapasón manteniendo su forma, deteniéndose sobre cualquier traste para tocar el acorde principal de esa nota. También observaremos la versión menor de este acorde, así como la manera de tocar acordes mayores y menores con cejilla sobre la cuerda la. De este modo ampliará enormemente el número de acordes que podrá tocar con variaciones muy leves de la forma general del acorde.

Acostumbrarse a la forma del acorde es importante porque le permitirá tocar muchos más acordes, aprendiendo simplemente las notas colocadas a lo largo del diapasón.

Cómo formar el acorde

El acorde con cejilla fue utilizado casi exclusivamente por bandas de punk en la década de 1970; pero aún es la versión favorita entre los acordes de muchas bandas de rock. Este acorde es adecuado para los mástiles delgados de las guitarras eléctricas, debido al poder de su sonido, el uso de las seis cuerdas y la velocidad con la cual puede cambiarse de un acorde a otro.

Este acorde utiliza los cuatro dedos y las seis cuerdas, pero, como se sugirió previamente, puede ignorar algunas notas para tocar acordes parciales si lo desea. Para hacerlo, no toque con la mano derecha la cuerda que desea ignorar o utilice uno de los dedos de la mano izquierda para bloquear la nota.

Para crear el acorde con cejilla, ponga su dedo índice a través de todas las cuerdas. Esta cejilla la colocaremos en el tercer traste del mástil que es donde se encuentra el primer punto. Así creará un acorde de sol mayor.

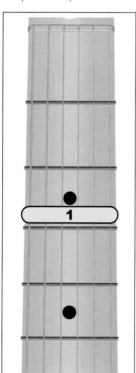

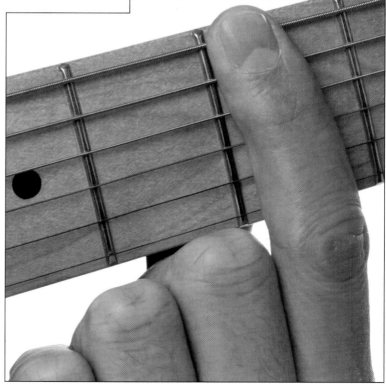

Cejilla a través de las cuerdas con el dedo índice.

Al crear la cejilla en el mástil, el dedo índice debe colocarse detrás del traste y lo más cercano posible a este sin quedar directamente sobre él. Cuanto menor presión pueda ejercer sobre el mástil, más rápido podrá cambiar de acorde. La cantidad de presión requerida dependerá de la guitarra y de la altura de las cuerdas. Si pone el dedo pulgar hacia el centro de la parte posterior del mástil de la guitarra, podrá ejercer la presión correcta y pareja.

Con el dedo índice a través de las cuerdas, trate de tocarlas una por una con la mano derecha para evaluar que la nota tocada suene bien y no zumbe sobre el traste. Si escucha un zumbido, intente ajustar suavemente la posición de su

dedo índice. Si aún continúa escuchando zumbidos, relájese e intente de nuevo. Su objetivo será lograr con su dedo índice una superficie plana a través de las cuerdas, lo cual requerirá la suave rotación de la posición de la mano y el uso de la parte interna del dedo para crear la cejilla. Con práctica, la posición correcta del dedo índice se efectuará con naturalidad.

Si esta posición del dedo le parece muy incómoda, ensaye el método del "pulgar por encima" descrito más adelante.

Poner el pulgar cerca de la parte central del mástil le ayudará a mantener su dedo índice en posición.

Acorde mayor con cejilla completa para la cuerda mi bajo.

No se preocupe si al principio las cuerdas del medio – la, re y sol – no suenan adecuadamente, porque estaremos añadiendo notas a estas cuerdas usando otros dedos. El objetivo principal es producir notas claras y limpias entre las cuerdas mi bajo y agudo.

Una vez se sienta cómodo con la ubicación del dedo índice, añada el segundo, tercero y cuarto dedos.

Ponga su segundo dedo un traste adelante del dedo índice en la cuerda sol.

Ponga el tercer dedo sobre la cuerda la en el quinto traste. Ponga el cuarto dedo justo bajo el tercero, sobre el mismo traste pero en la cuerda re. Al principio puede sentirse un poco incómodo, pero, de nuevo, con práctica será mucho más fácil.

No presione demasiado las cuerdas. Pulse las notas una por una y ajuste sus posiciones hasta cuando suenen limpias. Será necesario descansar ocasionalmente y practicar de nuevo. Descanse sus manos y estire los dedos entre cada una de sus prácticas.

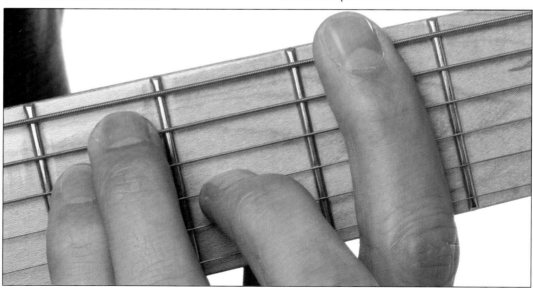

El método del pulgar por encima

El acorde con cejilla también puede formarse poniendo su dedo pulgar sobre la parte superior del mástil de la guitarra y presionando la cuerda mi bajo, en vez de cubrir todas las cuerdas con el dedo índice. Utilice el dedo índice para cubrir solamente las cuerdas si y mi agudo. Es indispensable usar el área de los nudillos del pulgar para oprimir la cuerda. Alternativamente, puede ignorar la cuerda mi agudo y tocar solamente las otras cinco cuerdas produciendo en ocasiones un sonido más suave que el del acorde con cejilla.

Para dominar este método deberá bajar la posición en la cual sostiene el mástil de la guitarra.

Presione la cuerda mi bajo con el pulgar.

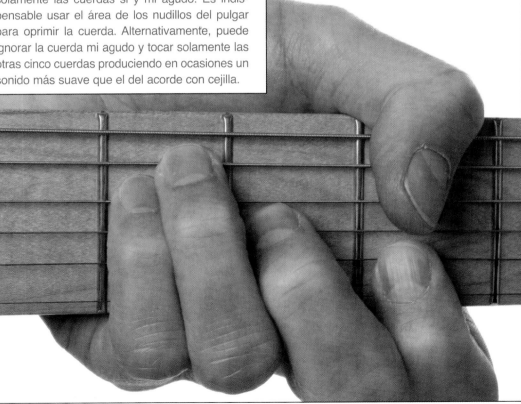

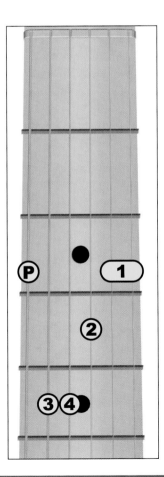

Desplazar el acorde con cejilla

Desplazamiento del acorde con cejilla.

Una vez domine la posición de los dedos, trate de que su digitación sea relajada de modo que los dedos simplemente descansen sobre las cuerdas. Practique la presión y liberación de las cuerdas con los dedos sobre el diapasón mientras las pulsa con la mano derecha de arriba abajo. Cuando los dedos están relajados notará que el acorde suena corto y disparejo, porque al liberar las cuerdas las notas se silencian.

Puede desarrollar este método tocando un ritmo rápido con la mano derecha, presionando sobre el diapasón ocasionalmente con los dedos de la mano izquierda para producir el acorde. Fácilmente podrá crear un sonido tipo reggae con esta técnica.

Una vez se le facilite formar este acorde, puede intentar deslizarlo hacia diferentes posiciones a lo largo del diapasón. Así el nombre del acorde cambiará hacia la nota en la cual se detenga sobre la cuerda mi. Si desea tocar un acorde de sol mayor, deslice el dedo formando la cejilla en el tercer traste. do mayor se encuentra en el octavo traste; re mayor, en el décimo.

Acordes parciales con cejilla

Si le es difícil formar o desplazar el acorde con cejilla, puede tocar acordes parciales.

Una opción consiste en tocar solamente las tres cuerdas inferiores creando un acorde de sonido pesado. Este puede tocarse con dos o tres dedos dependiendo de su criterio.

Para producir una versión del acorde con cejilla de sonido más dulce, toque solamente sus tres o cuatro cuerdas más agudas, lo cual es casi lo mismo que utilizar el método del pulgar por encima.

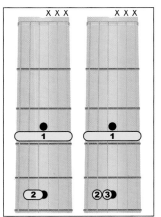

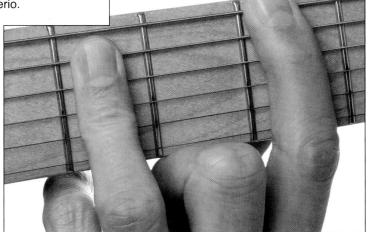

Izquierda: acorde con cejilla con solamente dos dedos.
Derecha: acorde mayor con cejilla ignorando la cuerda mi bajo.

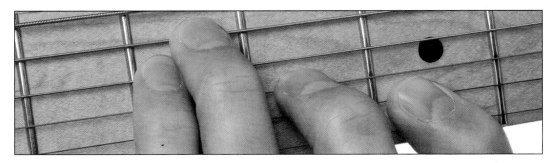

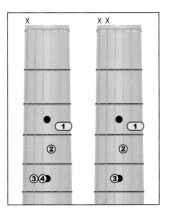

Cejilla sobre la cuerda la

Hay cierta distancia al deslizar el acorde con cejilla entre las posiciones sol y re en la cuerda mi bajo. Puede ser un poco difícil si se requiere un cambio rápido de acorde.

Afortunadamente existe una solución: puede también tocar un acorde con cejilla sobre la cuerda la. Este acorde es similar al utilizado sobre la cuerda mi bajo y en algunos aspectos es incluso más fácil de formar.

El acorde tiene como base la forma del acorde de si mayor. Como el acorde se toca a lo largo de la cuerda la, debe ignorar la cuerda mi bajo, ya sea evitando tocarla o bloqueándola con uno de sus dedos de modo que no suene.

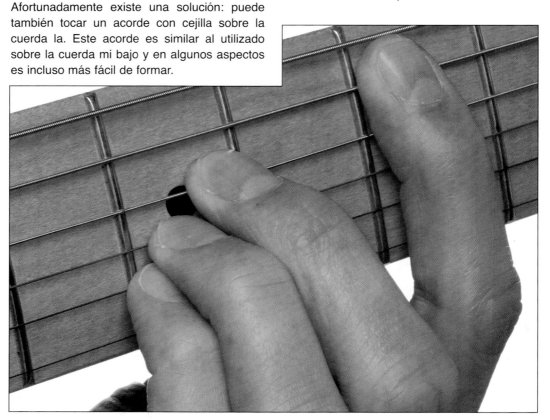

Acorde mayor con cejilla sobre la cuerda la.

Cómo formar el acorde

Tal como se indicó para el último acorde con cejilla, se empieza colocando el primer dedo (índice) sobre las cuerdas. Hágalo nuevamente a través del tercer traste. Esta vez no incluya mi bajo pero puede utilizar su dedo para bloquearla.

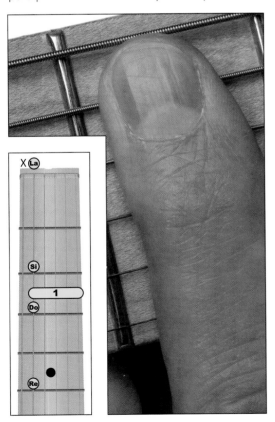

Ponga su segundo dedo sobre el quinto traste de la cuerda re, luego su tercer dedo sobre el quinto traste de la cuerda sol y su cuarto dedo sobre el quinto traste de la cuerda si. Dependiendo del tamaño de sus dedos, podrá sentirlos un poco amontonados. Deberá poner un dedo ligeramente tras de otro pero dentro del mismo traste. Revise que las notas suenen claramente tocando una a la vez.

Ha acabado de crear un acorde de do mayor con la cuerda la. Si desliza este acorde ascendiendo dos trastes en el diapasón tendrá un acorde de re mayor. Cuando se acostumbre a formar e intercambiar estos acordes, descubrirá que es un modo más rápido de llegar a los acordes mayores de do y re, desde sol mayor que sobre la cuerda mi.

Izquierda: dedo índice bloqueando la cuerda mi bajo.
Derecha: acorde de do mayor con cejilla sobre el quinto traste de la cuerda la.

Deberá adquirir la habilidad de crear este acorde usando simplemente su tercer dedo y el índice, poniendo el tercer dedo a través del quinto traste de las cuerdas re, sol y si. Intente tocar cada cuerda de nuevo para ver si suenan correctamente. Si este método no funciona, puede utilizarlo como acorde parcial, ignorando la cuerda mi agudo.

Ahora puede deslizar este acorde hacia arriba y abajo del mástil para cada una de las notas que están a lo largo de la cuerda la.

Versión con dos dedos del acorde mayor con cejilla para la cuerda la.

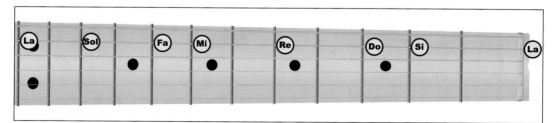

Más allá del traste 12

Hasta el momento solamente hemos estudiado las notas que se encuentran en los primeros doce trastes, porque las guitarras acústicas no tienen mucho alcance después de este punto. Sin embargo, las guitarras eléctricas están diseñadas para subir más.

Tal como lo mencionamos en el primer capítulo, el traste 12 posee una guía doble por ser la mitad de la longitud de la cuerda. Esta produce una nota una octava más alta que la cuerda al aire; esto quiere decir que una vez sobrepase el traste 12, el patrón de notas se repite de nuevo. Por ejemplo, la nota sol se encuentra en el tercer traste de la cuerda mi, de modo que su octava está tres trastes más arriba, en el traste quince. Siempre habrá 12 trastes entre las notas que tienen el mismo nombre.

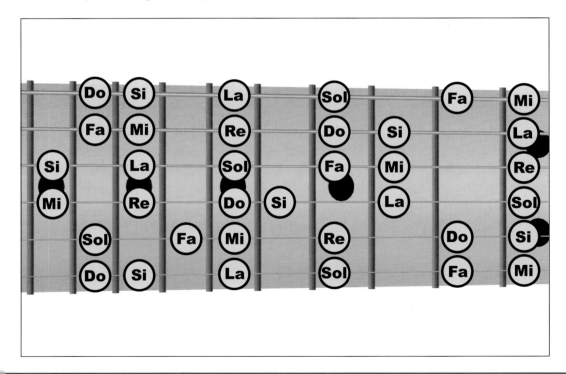

Acordes menores

El uso de los acordes mayores con cejilla sobre las cuerdas mi y la genera un rango de casi dos octavas de acordes con los cuales tocar, pero existen otros tipos de acordes con diferentes sonidos y generan diferentes ambientes y sensaciones en la música.

Para formar un acorde menor se requiere solamente un pequeño cambio en el acorde mayor. Tal como vimos en el último capítulo, un acorde mayor se crea con la primera, tercera y quinta notas de una escala mayor. El acorde menor está compuesto por la primera, tercera y quinta notas de una escala menor

Hay otra manera de describir cómo formar un acorde menor. Este se realiza bajando medio tono a la tercera nota del acorde mayor. Por ejemplo, si observamos las notas de un acorde de sol mayor, donde la primera nota es sol, la tercera si y la quinta re, y luego cambiamos la tercera nota, si, por un si bemol, creamos un acorde de sol menor. En la práctica, debe mover un traste atrás el dedo, hacia la segunda nota del acorde.

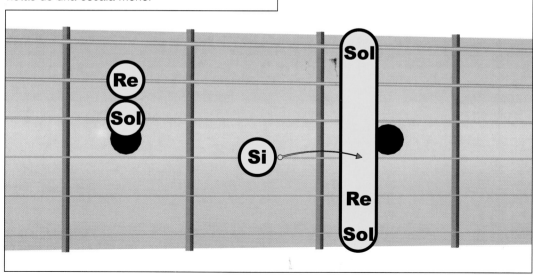

Esto es muy sencillo de lograr y hace que los acordes menores sean más fáciles de formar. Para tocar un acorde menor con cejilla sobre la cuerda mi, retire su segundo dedo del diapasón.

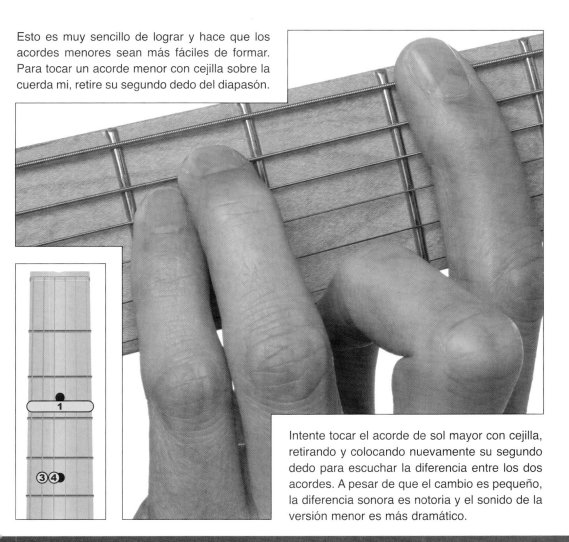

Intente tocar el acorde de sol mayor con cejilla, retirando y colocando nuevamente su segundo dedo para escuchar la diferencia entre los dos acordes. A pesar de que el cambio es pequeño, la diferencia sonora es notoria y el sonido de la versión menor es más dramático.

Acorde menor con cejilla en la cuerda mi bajo.

Para crear un acorde menor con cejilla sobre la cuerda la descienda un traste la tercera nota. Esta nota está en el sitio donde se pone el cuarto dedo en el acorde mayor.

Así crea una forma igual al acorde mayor sobre la cuerda mi. De nuevo, ignore o bloquee la cuerda mi bajo.

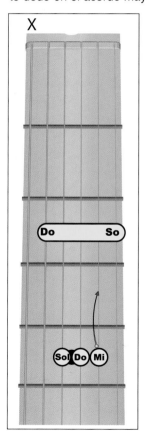

Acorde menor con cejilla para la cuerda la.

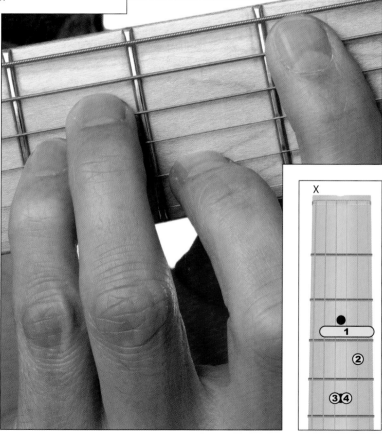

Acordes alternativos con cejilla

Las formas de acorde con cejilla estudiadas hasta el momento son las más frecuentes, pero existen otras. Podría ensayar también algunas otras alternativas.

Existe un acorde mayor con cejilla para la cuerda mi agudo que se toca fácilmente en cuanto más se acerque al extremo inferior del mástil. Para crearlo, debe poner su dedo índice a través de las cuatro cuerdas inferiores y luego poner el cuarto dedo tres trastes hacia arriba sobre la cuerda mi agudo. Las dos cuerdas del bajo no se tocan.

El nombre del acorde depende de la nota sostenida por el cuarto dedo sobre la cuerda mi agudo. Si quisiera tocar un re mayor usando esta forma, pondría el primer dedo a través del séptimo traste y el cuarto dedo sobre el décimo traste de la cuerda mi agudo.

Acorde mayor alternativo con cejilla para la cuerda mi agudo.

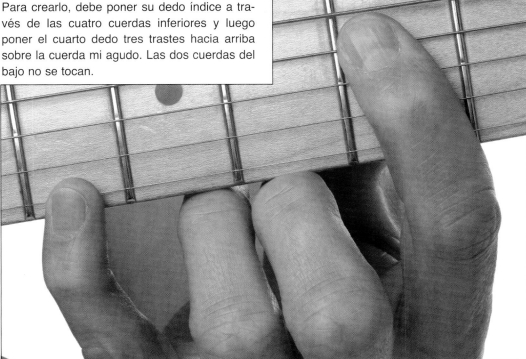

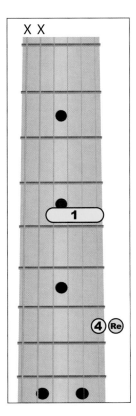

Acorde mayor alternativo con cejilla para la cuerda si.

Puede tocar un acorde mayor con cejilla con base en las notas que están a lo largo de la cuerda si. Coloque su dedo índice en las primeras tres cuerdas, luego ponga su segundo dedo un traste más adelante sobre la cuerda si y el tercer dedo, un traste más adelante sobre la cuerda re. El nombre proviene de la nota hecha por el segundo dedo sobre la cuerda si. Las dos últimas cuerdas no se tocan.

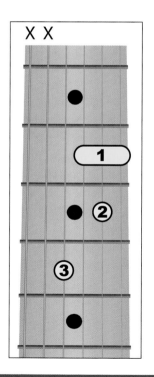

Un acorde menor alternativo con cejilla puede crearse con base en las notas de la cuerda si. Ponga su dedo índice sobre la cuerda mi agudo, su segundo dedo, un traste más adelante sobre la cuerda sol; su tercer dedo, un traste más adelante sobre la cuerda re; y su cuarto dedo, sobre este mismo traste pero en la cuerda si. No toque las dos cuerdas del bajo. El nombre del acorde proviene de la nota sobre la cuerda si mantenida por el cuarto dedo.

En este momento tiene un gran repertorio de acordes que puede utilizar, con muy pocas formas de los mismos por recordar. El uso de acordes parciales y sus formas alternativas le añadirán variedad a los sonidos que podrá producir.

Practique formando y e intercambiando las formas de los acordes. En el siguiente capítulo observaremos los acordes que funcionan bien juntos.

Acorde menor alternativo con cejilla para la cuerda si.

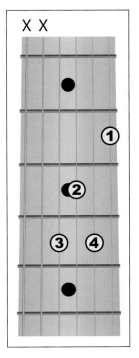

Tonalidades mayores y menores

Una vez ha adquirido experiencia tocando una variedad de acordes, puede observar de cerca las relaciones existentes entre estos. Así podrá componer canciones.

Estudiaremos las agrupaciones de acordes comunes para cada tonalidad, suministrándoles un rango de acordes de tres sonidos que le permitirá practicar y que podrá usar en canciones.

También analizaremos el círculo de quintas, una gran herramienta para descifrar los acordes que funcionan muy bien entre sí.

Finalizaremos este capítulo estudiando cómo añadir notas adicionales para extender los acordes convencionales que ha aprendido hasta el momento.

Escalas

En el capítulo dos comenzamos a estudiar escalas y tonalidades; sin embargo, debemos analizarlas con más detalle para que pueda entender cómo se construyen y qué usos tienen.

Las tonalidades y escalas están intrínsecamente relacionadas ya que la escala que toque dependerá de la tonalidad en la cual se encuentre. Los acordes en tal tonalidad están determinados por las notas en la escala.

Para entender mejor la música y escritura de canciones, primero debe tener en cuenta la nota tónica.

Todas las canciones poseen una nota tónica y esta define la tonalidad y escala de la tonada. En ocasiones otros instrumentos determinan la tonalidad porque algunos están afinados en ciertas tonalidades o solamente poseen ciertas notas accesibles a estos. En ocasiones, los cantantes sólo pueden cantar en determinados tonalidades. En estos casos, la tonalidad que toque o en la cual escriba está determinada por estos límites, o de otro modo, puede escoger la nota que desee como base para su tonada.

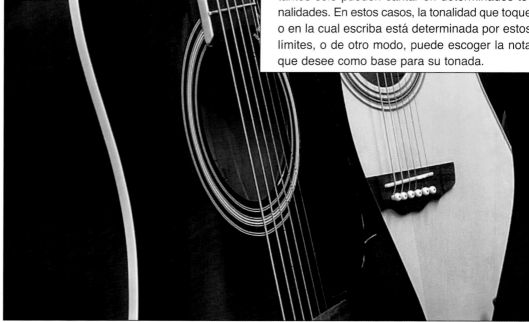

En la música occidental existen siete notas naturales más cinco bemoles o sostenidos, que conforman un total de doce notas posibles.

El rango completo de notas es:

La
La# o Sib (equivalentes enarmónicos)
Si
Do
Do# o Reb (equivalentes enarmónicos)
Re
Re# o Mib (equivalentes enarmónicos)
Mi
Fa
Fa# o Solb (equivalentes enarmónicos)
Sol
Sol# o Lab (equivalentes enarmónicos)

La distancia o intervalo entre cada una de estas notas es de un medio tono, lo cual se denomina un semitono y es igual a la distancia entre un traste y otro.

Un tono equivale a dos semitonos y a dos trastes sobre el diapasón.

Su tonada puede tomar como base cualquiera de estas notas formando también una escala y una tonalidad. Una escala es un patrón compuesto por una selección de notas iniciando a partir de la nota tónica. La tonalidad está conformada por los acordes en los cuales se basan las notas de la escala.

Escalas mayores

Si empezamos por estudiar las escalas y tonalidades mayores, podemos notar cómo funcionan en la práctica.

Las notas en una escala mayor siempre siguen este patrón: tono, tono, semitono, tono, tono, tono, semitono.

Si recuerda este patrón podrá escoger siete de las doce notas posibles disponibles para conformar una escala mayor.

La escala mayor también se conoce como escala jónica.

Si observamos las notas que están a lo largo del diapasón, podemos notar que la distancia entre fa y sol es de dos trastes o un tono y la distancia entre si y do es de un traste o un semitono.

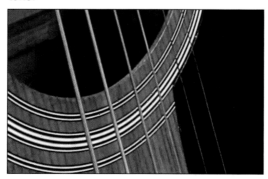

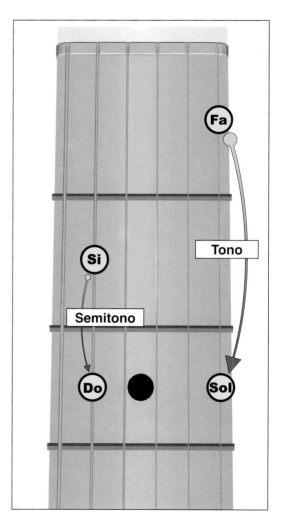

Escala de do mayor

La escala de do mayor está compuesta por las notas naturales, de modo que no contiene sostenidos ni bemoles. Al tocarla en un teclado requiere solamente de las teclas blancas.

Con el patrón TTSTTTS e iniciando por la nota tónica de do, desciframos las demás notas.

A un tono de do encontramos re.
Un tono más arriba encontramos a mi.
En un semitono sobre mi, está fa.
En un tono sobre fa se encuentra sol.
Un tono más arriba, la.
Otro tono más arriba está si.

Un semitono más arriba de si nos lleva de nuevo a do. Entonces, la escala mayor es do, re, mi, fa, sol, la, si.

Tal como lo aprendimos, para crear un acorde mayor usamos la 1ª, 3ª y 5ª notas de la escala. De modo que un acorde de do mayor está compuesto por do, mi y sol.

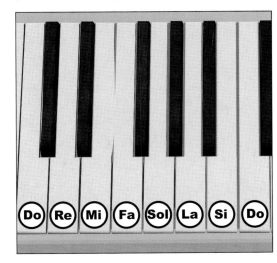

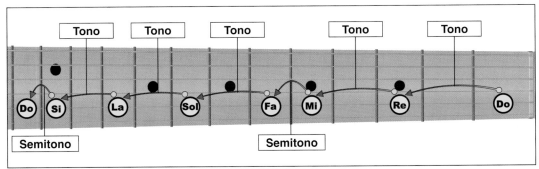

Escala de sol mayor

Observemos otro ejemplo. Esta vez es la escala de sol mayor.

Empezamos con la nota tónica sol.
Un tono arriba de sol está la.
Un tono más arriba llegamos a si.
Un semitono arriba está do.
Un tono sobre do está re.
Otro tono arriba, mi.
El tono final nos lleva a fa sostenido.
Y el semitono final nos devuelve a sol.

Por tanto, la escala de sol mayor es sol, la, si, do, re, mi, fa#. El tono final lo llamamos fa sostenido en vez de sol bemol, porque la regla establece que el nombre de una nota no debe aparecer más de una vez en la escala.

El acorde de sol mayor está compuesto por la 1ª, 3ª y 5ª notas de la escala de sol mayor, las cuales son sol, si y re,

Sabiendo esto, podemos crear una escala y un acorde mayor para cada una de las doce notas.

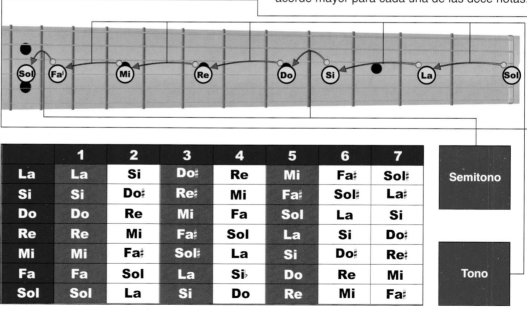

		1	2	3	4	5	6	7
La	La	Si	Do♯	Re	Mi	Fa♯	Sol♯	
Si	Si	Do♯	Re♯	Mi	Fa♯	Sol♯	La♯	
Do	Do	Re	Mi	Fa	Sol	La	Si	
Re	Re	Mi	Fa♯	Sol	La	Si	Do♯	
Mi	Mi	Fa♯	Sol♯	La	Si	Do♯	Re♯	
Fa	Fa	Sol	La	Si♭	Do	Re	Mi	
Sol	Sol	La	Si	Do	Re	Mi	Fa♯	

Semitono

Tono

Tonalidades

Las tonalidades nos llevan un paso más adelante en el proceso. Esto significa que usted no se limitará a tocar el acorde consistente de la 1ª, 3ª y 5ª notas de la escala en la cual se encuentra. Para cada nota en la escala existe un acorde. Estos serán el acorde mayor (representado por may o M), menor (representado por men o m) o el disminuido (representado por Dis).

El patrón de acordes para una escala mayor es:

Mayor, menor, menor, mayor, mayor, menor, disminuido.

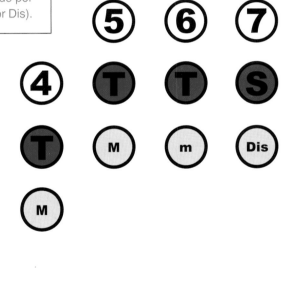

Por tanto, si observamos de nuevo la escala de do mayor, sus acordes serán:

do mayor, re menor, mi menor, fa mayor, sol mayor, la menor, si disminuido.

Acordes disminuidos:

Un acorde disminuido es similar a un acorde menor cuya quinta nota ha disminuido un semitono. Esto significa que la quinta nota se movió un traste hacia atrás.

La diferencia entre un acorde mayor y uno disminuido es que la 3ª y la 5ª notas son bemoles.

Los acordes disminuidos no se utilizan con frecuencia en la música rock y pop.

Acordes mayores ①③⑤
Acordes menores ①③♭⑤
Acordes disminuidos ①③♭⑤♭

Progresiones con tres sonidos

Tal como mencionamos en el capítulo dos, un gran número de canciones de pop y rock contiene sólo tres acordes, lo que se conoce como una progresión de tres acordes. Los acordes usados deben seguir un patrón determinado.

Si observamos los acordes que utilizamos en la tonalidad de sol mayor, encontramos los acordes que deben utilizarse en una progresión con tres acordes. Estábamos empleando sol mayor, do mayor y re mayor. Usando el patrón descrito observaremos que corresponden a los 1°, 4° y 5° acordes en la tonalidad de sol mayor.

El primer acorde en una escala mayor se conoce como tónica. El 5° acorde se conoce como acorde dominante. El 4° acorde es el subdominante.

Derecha arriba: acorde de sol mayor.
Derecha abajo: acorde de do mayor.
Izquierda: acorde de re mayor.

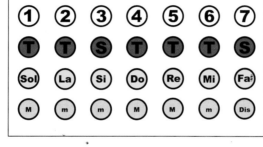

①	②	③	④	⑤	⑥	⑦
T	T	S	T	T	T	S
Sol	La	Si	Do	Re	Mi	Fa♯
M	m	m	M	M	m	Dis

Sol mayor

X X O

Re mayor

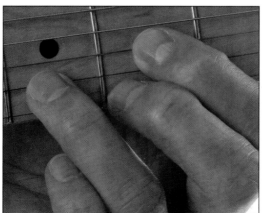

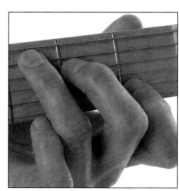

X O O

Do mayor

Escala de do mayor

Apliquemos la regla a la tonalidad de do que aprendimos al inicio de este capítulo.

Las notas de esta escala son do, re, mi, fa, sol, la, si. Por tanto en la tonalidad de do mayor, los acordes son: do mayor, re menor, mi menor, fa mayor, la menor y si disminuido.

Los 1º, 4º y 5º acordes de esta secuencia son do mayor, fa mayor y sol mayor.

Los acordes de do mayor y sol mayor aparecen en la tonalidad de sol mayor, y el de fa mayor copia la forma usada para el primer acorde con cejilla del capítulo "Tonalidades mayores y menores". Para el acorde de fa mayor, ponga el acorde con cejilla en el primer traste.

Acorde de fa mayor ignorando la cuerda mi bajo.

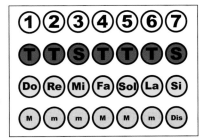

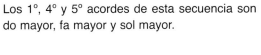

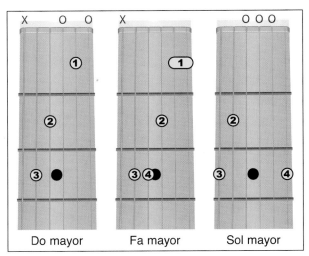

| Do mayor | Fa mayor | Sol mayor |

Practique intercambiando los tres acordes, iniciando con el acorde de do mayor porque es la tonalidad en la cual nos encontramos. Lentamente, empiece a tocar cada una de las cuerdas para asegurarse que las notas suenen claras y posteriormente púlselas luego de cambiar de acorde. Trate de mantener un ritmo constante y no se preocupe si equivoca la posición de sus dedos al principio.

Si presenta dificultad, será más fácil ignorar la cuerda mi bajo con el acorde de fa mayor para permitir cambios más rápidos entre los tres acordes.

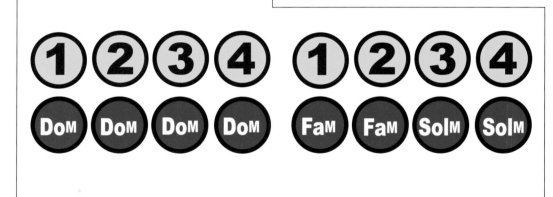

Trate de intercambiar el orden de los acordes de fa mayor y sol mayor y note cómo el tono de la música cambia.

Tonalidades y escalas menores

Ya hemos escuchado cómo los acordes menores tienden a sonar más tristes o dramáticos que los acordes mayores, y lo mismo aplica para las tonalidades mayores y menores. Las canciones en tonalidades mayores son brillantes y alegres, mientras que las de tonalidades menores suenan oscuras y melancólicas. Esto es una generalización porque es posible escribir canciones tristes en tonalidades mayores y alegres en tonalidades menores.

Por ejemplo, la música reggae está escrita en su mayoría en una tonalidad menor, pero las canciones resultantes están llenas de vida.

Las escalas menores también siguen un patrón particular pero, a diferencia de las escalas mayores, puede usarse más de una escala menor para confundir levemente la sonoridad. Por el momento, solamente usaremos la escala menor natural conocida también como escala eólica.

Esto es griego para mí

Los antiguos griegos notaron que los diferentes patrones de tonos y semitonos generaban diferentes emociones en la audiencia. Ellos agruparon estas notas en modos o escalas y les dieron nombres que fueron adoptados posteriormente para su uso en la música moderna occidental. Las escalas jónica y eólica son las más comunes.

El patrón de una escala menor natural es:

Tono, semitono, tono, tono, semitono, tono, tono.

Si observamos la escala de la menor sería:
Inicia con la tónica la.
Un tono arriba se encuentra si.
Un semitono arriba está do.
Un tono arriba está re.
Otro tono arriba está mi.
Un semitono más arriba está fa.
Un tono arriba está sol.
Y el tono final nos devuelve a la.

La escala menor de la es: la, si, do, re, mi, fa, sol.

Esta es diferente de la escala de la mayor:
la, si, do#, re, mi, fa#, sol#.

La escala de la menor se parece a la escala de do mayor porque comparten las mismas notas.

Si observamos cuidadosamente el patrón de la escala menor natural podemos notar que es el mismo de la escala mayor, excepto por el sitio donde empieza, en la sexta nota de la escala mayor.

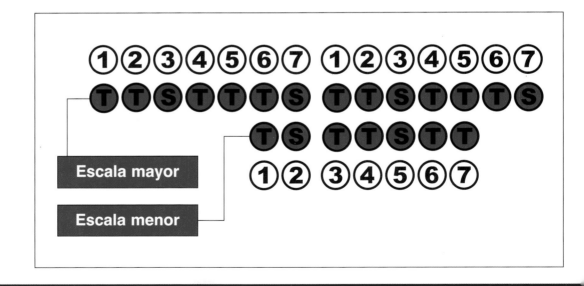

90

Si observa las notas de la escala de do mayor notará que la sexta nota es la.

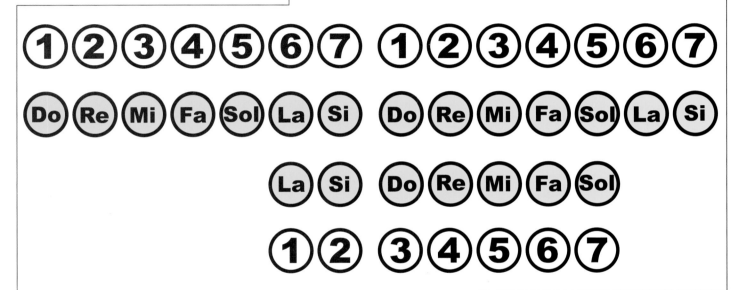

Estas dos escalas están relacionadas porque comparten las mismas notas. La escala menor de la se conoce como escala menor relativa de do mayor. Cada escala mayor tiene una escala menor relativa en su sexta posición con la cual comparte sus notas.

El acorde menor está compuesto por la 1ª, 3ª y 5ª notas de la escala menor, en este caso las notas la, do y mi.

Se puede decir además que el acorde menor está compuesto por la 1ª, la 3ª bemol y la 5ª notas de su escala mayor. En caso de crear un la menor, la escala mayor es la, si, do#, re, mi, fa#, sol#, de modo que el acorde menor es la, do, mi.

Recuerde que para que una nota sea bemol debe desplazarse un traste hacia atrás en el diapasón.

Acorde de la menor

Acorde de la menor.

Para tocar el acorde de la menor, ponga su dedo índice en el primer traste de la cuerda si y produzca una nota do. Luego ponga su segundo dedo en el segundo traste de la cuerda re y produzca una nota mi. Finalmente, ponga su tercer dedo en el segundo traste de la cuerda sol para producir una nota la.

La cuerda mi bajo por lo general queda fuera de este acorde. Esto ocurre porque ya existen dos notas mi en el acorde y estas tienden a dominar el sonido. Sin embargo, puede incluirla si lo desea.

No olvide revisar que todas las cuerdas generen sonidos limpios antes de tocar el acorde.

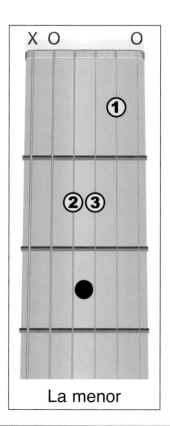

La menor

Antes de explorar más acordes en la tonalidad de la menor, observemos rápidamente una vez más la tonalidad de do mayor. Notará que el

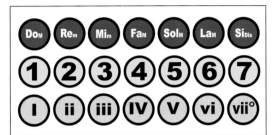

sexto acorde de do mayor es de hecho la menor. Puede añadir este acorde a los tres que ya conoce y extender la progresión a cuatro.

Trate de intercambiar entre los acordes de do mayor y la menor. De este modo creará un sonido muy placentero realizando un cambio muy fácil, porque lo único que debe hacer es mover el tercer dedo.

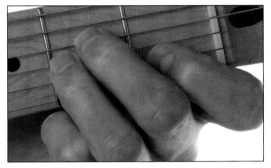

Ahora intente extenderlo para incluir los cuatro acordes. Una tonada puede repetir el cambio de do mayor a la menor algunas veces y posteriormente usar sol mayor y fa mayor para resolver la progresión.

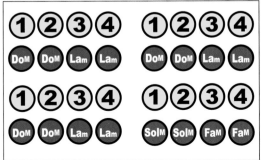

Numerales romanos

Es muy común encontrar los acordes de una tonalidad escritos con números romanos. Los acordes mayores se numeran con letras mayúsculas y los acordes menores con letras minúsculas. Los acordes disminuidos usan letras minúsculas junto al símbolo para grados.

Izquierda: acorde de do mayor.
Derecha: acorde de la menor.

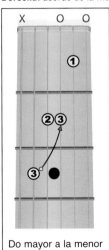

Do mayor a la menor

Para darle un sentido un poco diferente, intente cambiar el orden de los últimos dos acordes. Puede además ensayar una combinación de rasgados hacia arriba y hacia abajo con la mano derecha, para crear ritmos más interesantes.

Este tipo de progresión de acordes es típico de una sección de versos o una canción de rock o pop. El 6º acorde menor puede utilizarse con mayor dramatismo intercambiándolo entre una secuencia de acordes y otra, tal como se realiza el cambio de versos a coros en una canción. Ensaye la secuencia que se muestra a continuación escuchando el efecto que genera.

Este dramático cambio se conoce como cambio de tonalidad. Pasamos de do mayor a su relativa menor, la menor. Aun cuando pareciera que utilizamos los acordes de la escala de do mayor, el cambio de uso del acorde de do mayor como tónico hacia el acorde de la menor como tónico causa el efecto de cambio de tonalidad.

Los cambios de tonalidad entre tonalidades mayores y sus relativas menores son muy comunes, porque además de sonar como una progresión natural, su similitud permite recordar los acordes con facilidad e implementar los cambios sin problema. Es común encontrar versos en una tonalidad y los coros en otra.

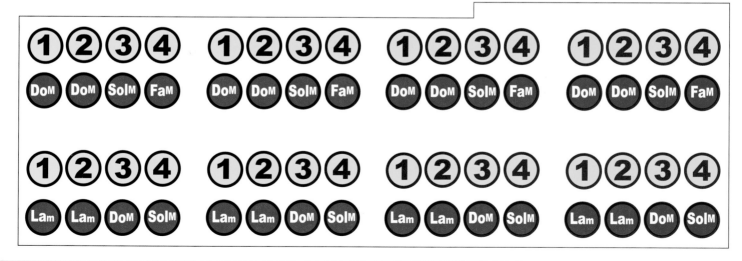

Escala de la menor

Ahora estudiemos los demás acordes en la tonalidad de la menor.

Como podría esperarse, el patrón de acordes para una tonalidad menor natural es similar al de su relativa mayor porque tienen como base la 6ª nota.

El patrón de acordes para una tonalidad menor es: menor, disminuido, mayor, menor, menor, mayor, mayor.

Es igual al patrón de acordes de una tonalidad mayor, tomado a partir de su 6ª posición.

Por tanto los acordes para la tonalidad de la menor son: la menor, si disminuido, do mayor, re menor, mi menor, fa mayor y sol mayor.

Usamos el 1º, 4º y 5º acordes de la tonalidad de do mayor y el 1º, 3º y 7º acordes de la menor. Las tonadas que comienzan con una tonalidad menor por lo general tienen como base el 1º, 4º y 5º acordes también, tal como ocurre en las tonalidades mayores.

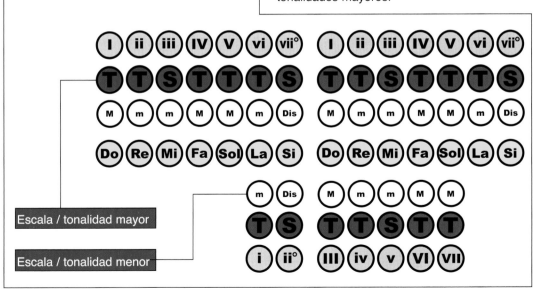

Escala / tonalidad mayor

Escala / tonalidad menor

Acorde de re menor

Aprendamos ahora el 4° y 5° acordes de la tonalidad de la menor, los acordes de re menor y mi menor.

La escala de re menor es re, mi, fa, sol, la, si bemol y do. De modo que el acorde de re menor está compuesto por re, fa y la, la 1ª, 3ª y 5ª notas de la escala.

Para tocar un acorde de re menor, ponga su dedo índice en el primer traste de la cuerda mi

agudo, para producir un fa. El segundo dedo se pone en el segundo traste de la cuerda sol para producir un la, y el tercer dedo está puesto en el tercer traste de la cuerda si para producir un re.

Es frecuente ignorar las dos cuerdas del bajo aunque desearía incluir la cuerda la para producir un acorde con sonido más fuerte.

Acorde de re menor.

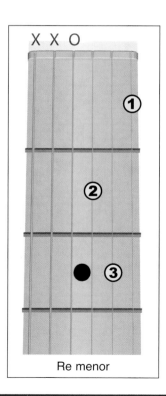

Re menor

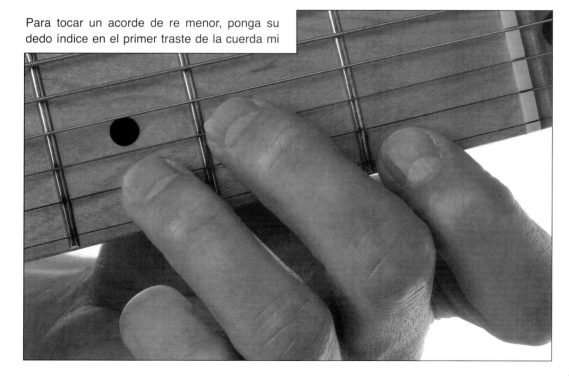

Acorde de mi menor

La escala de mi menor es mi, fa#, sol, la, si, do, re. El acorde de mi menor es producido por las notas mi, sol y si.

Ponga su dedo índice sobre el 2° traste de la cuerda la para producir una nota si, su segundo dedo sobre el 2° traste de la cuerda re para producir un mi. Las demás cuerdas tóquelas al aire.

Intente intercambiar los tres acordes usando patrones similares a los utilizados previamente. Mantenga su pulso parejo y las notas limpias. Acá presentamos otro patrón que puede ensayar.

Acorde de mi menor.

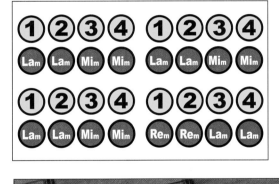

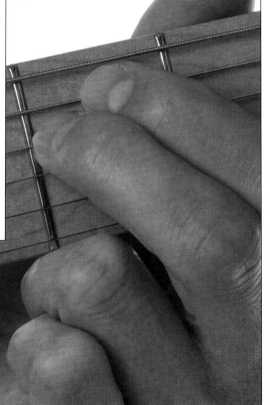

Mi menor

Ahora vamos a encontrar la tonalidad menor relativa para sol mayor. Si observa de nuevo la escala de sol mayor, podrá notar que la 6ª nota es mi.

Por tanto, el acorde menor relativo para sol mayor es mi menor; el que acabamos de tocar. Trate de sumar mi menor a los demás acordes que hemos estado tocando para sol mayor.

Debe practicar tocando estos acordes en diversas combinaciones para poder entender cómo encajan entre sí. Intente tocar el mismo patrón que utilizamos para do mayor, pero sustituyendo los acordes. En la parte inferior de la página encontrará otro ejercicio.

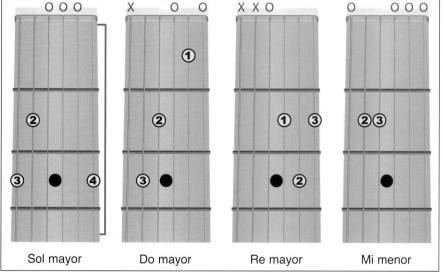

Sol mayor   Do mayor   Re mayor   Mi menor

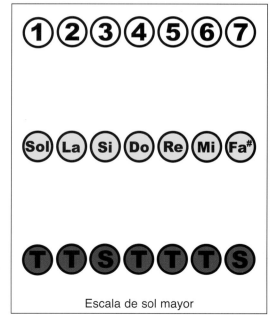

Escala de sol mayor

Tonalidad de mi menor

Relacionando la escala mayor y su relativa menor, podemos descifrar la escala para mi menor.

Iniciando con la 6ª nota de la escala de sol mayor tenemos las notas mi, fa#, sol, la, si, do, re. Los acordes de la tonalidad de mi menor son mi menor, fa# disminuido, sol mayor, la menor, si menor, do mayor y re mayor.

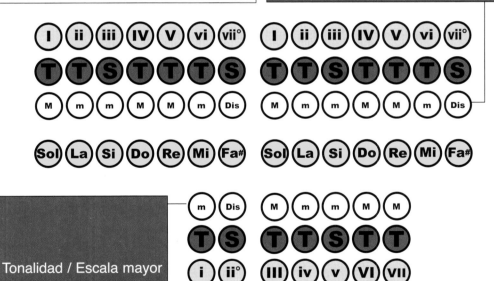

La progresión de tres acordes en esta tonalidad utiliza mi menor, la menor y si menor, lo que nos lleva al acorde de si menor.

Acorde de si menor

Es el mismo acorde menor con cejilla que crea-mos para tocar sobre la cuerda la. Se toca dos trastes más arriba de la cuerda la sobre la nota si. Las notas son si, re y fa#.

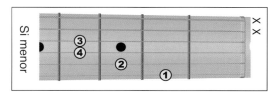

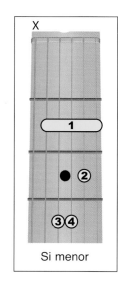

Si menor

Es más fácil intercambiar los diferentes acordes si ignora las dos cuerdas del bajo porque no será necesario crear la cejilla. Ponga su dedo índice en el segundo traste de la cuerda mi agudo produciendo un fa#. Ponga su segundo dedo en el tercer traste de la cuerda si para pro-ducir un re. Ponga su tercer dedo en el cuarto traste de la cuerda re para producir un fa# y su cuarto dedo también en el cuarto traste pero en la cuerda sol para producir un si.

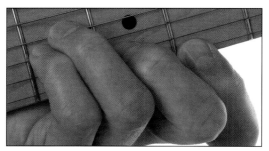

Intente intercambiar estos tres acordes tocando la secuencia que se muestra a continuación. Incremente la velocidad en cuanto se acostum-bre a los cambios. Podrá tomarle cierto tiempo al inicio lograr si menor a partir de los otros acordes porque se encuentra más arriba sobre el diapasón.

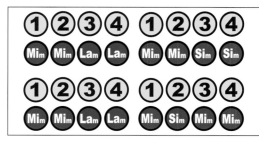

Izquierda: acorde de si menor con cejilla.
Derecha: acorde de si menor con cejilla ignorando las cuerdas la y mi bajo.

Ya conoce cuatro tonalidades en su repertorio: dos mayores y dos menores. Más importante aún: tiene la fórmula para descifrar muchas más. Hemos explorado intercambiar tonalidades mayores y sus relativas menores para añadir cierta variación a nuestras tonadas.

Si desea empezar una tonada en una tonalidad menor puede cambiar la tonalidad a su relativa mayor, la cual aparece como la tercera posición de la escala. Puede además bajar la escala hacia la sexta posición, en vez de aumentarla hacia la tercera para encontrar la escala mayor.

No estará limitado a usar solamente el 1º, 4º y 5º acordes de una tonalidad para producir una tonada, pero son un buen punto de inicio para relacionar los acordes y la escritura de canciones.

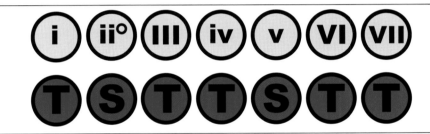

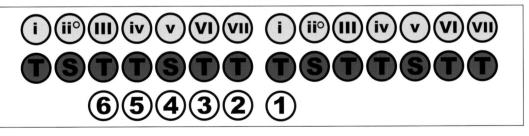

Analice sus tonadas favoritas encontrando las secuencias y progresiones, y descifrando las tonalidades en las cuales se encuentran y el patrón de acordes utilizado.

Centros tonales

Los cambios de tonalidad en una canción no se limitan a aquellos entre tonalidades mayores y menores relativas, pero sí son un buen punto de inicio porque emplean los mismos acordes y notas. Los cambios de tonalidad ocurren alrededor de un acorde común encontrado en ambas tonalidades. Este acorde común se conoce como centro tonal.

Por ejemplo, puede cambiar la tonalidad de do mayor a sol mayor o incluso a mi menor usando uno de los acordes do mayor, sol mayor, la menor o mi menor como centro tonal. Cuando uno de estos acordes se presente en ambas progresiones de acordes, el cambio en la tonalidad es válido.

Practique la siguiente secuencia de acordes que inicia en sol mayor y luego cambia a do mayor. El centro tonal en este caso es el acorde do mayor porque aparece en ambas secuencias.

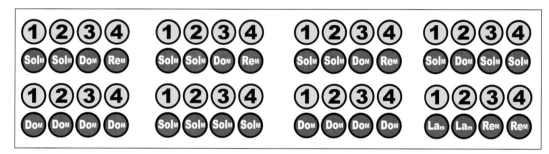

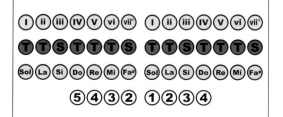

El cambio de tonalidad descrito anteriormente se mueve a la IV posición a lo largo de la escala de sol mayor. Los cambios de tonalidad a las posiciones IV y V también son muy comunes.

Una 4ª más arriba en la escala es lo mismo que una 5ª más abajo en la escala.

El círculo de quintas

El círculo de quintas le ayuda a notar las relaciones entre las notas, los acordes y tonalidades.

A lo largo de diferentes culturas, los intervalos musicales de cuarta y quinta han sido considerados placenteros al oído y son muy comunes en la composición musical. Los griegos, en la antigüedad, realizaron estudios acerca de la relación entre el sonido y la música, y muchos de sus hallazgos aún se emplean. Descubrieron que el oído humano es más sensitivo a los intervalos de altura que a los cambios en el tono.

Las octavas, cuartas y quintas son más populares en cuanto sus intervalos son: 2:1, 4:3 y 3:2. Los tonos construidos alrededor se conocen como consonancias. El círculo de quintas es una tabla de doce notas distribuidas como los números del reloj. Al seguir la dirección de las manecillas del reloj, se progresa a través de las escalas mayores en intervalos de quintas.

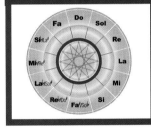

El círculo de quintas contiene todas las doce notas posibles en la música occidental. Si observa el círculo puede notar que cada semitono ascendente se encuentra a siete espacios de la nota previa, siguiendo la dirección de las manecillas del reloj y que cada semitono descendente se encuentra a cinco espacios en dirección contraria a las manecillas del reloj.

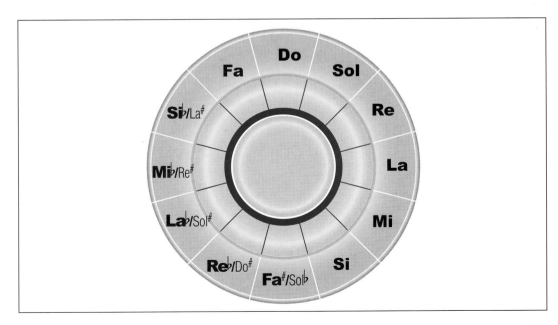

Cuartas y quintas

Este círculo sirve para encontrar los acordes más populares para cada tonalidad. Hemos establecido que las cuartas y quintas son los intervalos más populares de cada una de las tonalidades. Si observamos las dos tonalidades mayores que hemos estudiado, notaremos que la cuarta y quinta para do mayor son fa y sol, mientras que la cuarta y quinta para sol mayor son do y re.

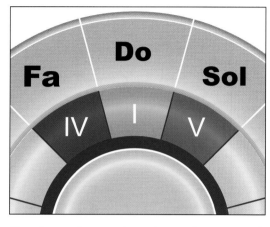

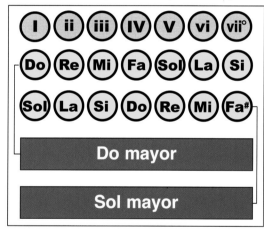

Si observa la posición de do en el círculo notará que fa se encuentra a una casilla en dirección contraria a las manecillas del reloj y sol a uno; pero siguiendo la dirección de las manecillas del reloj, la cuarta y quinta notas se encuentran a ambos lados de la tónica. Haga lo mismo con sol y observará el mismo patrón: do se encuentra a la izquierda y re a la derecha.

Para buscar los acordes más populares en cualquier tonalidad, seleccione la nota tónica y la cuarta y quinta a cada uno de sus lados. Una canción en sol# mayor tendría como acordes más comunes do# mayor y re# mayor.

Si avanza siguiendo la dirección de las manecillas del reloj, su movimiento será en quintas; y si lo hace en dirección contraria se moverá en cuartas. Las cuartas también se denominan quintas descendentes en la escala.

En las tonalidades mayores, las cuartas y quintas forman acordes mayores y en las tonalidades menores acordes menores. Una cuarta se encuentra cinco trastes adelante en el diapasón a partir de la nota tónica y una quinta a siete trastes.

Hay siete tonos en el círculo con equivalentes enarmónicos, lo cual significa que una misma nota posee dos nombres. Al moverse alrededor del círculo siguiendo la dirección de las manecillas del reloj, se debe usar el nombre de la nota en sostenido, y al moverse en dirección contraria se utiliza el nombre en bemol. La excepción es si, que no posee una nota en sostenido pero tiene un equivalente en do bemol.

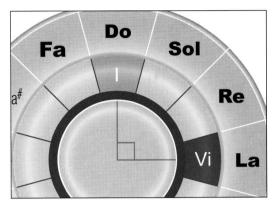

Los cambios de tonalidad son muy fáciles de identificar en el círculo y los más populares son las posiciones cuarta, quinta y sexta. Por tanto, si una tonada empieza en do mayor, los cambios de tonalidad más populares serían hacia fa mayor, sol mayor o la menor. Este patrón se repite a lo largo de todo el círculo.

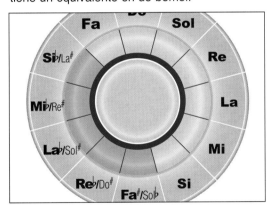

Otro acorde fue el acorde menor en la sexta posición, conocido como relativa menor. La menor relativa puede encontrarse a 90° alrededor del círculo siguiendo la dirección de las manecillas del reloj o contando tres casillas en la misma dirección. El acorde de la menor que corresponde a la relativa menor en la tonalidad de do mayor se encuentra a tres posiciones de do siguiendo las manecillas del reloj

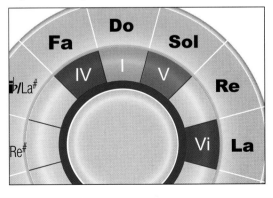

Es muy usual en la música escrita encontrar los acordes mayores representados por la letra del acorde y acordes menores identificados con una "m" minúscula a su lado.

Los cambios en tonalidades ocurren en centros tonales, lo cual significa que un acorde particular aparece en la tonalidad original como en la nueva. Si permanecemos en la tonalidad de do mayor, su quinta es sol mayor y este acorde es compartido con la tonalidad de re mayor siendo la cuarta en ella. El intercambio de tonalidad entre do y re es válido y ocurre al utilizar el acorde de sol mayor. Las tonalidades más emplea-das en la música popular son do, sol, re, la y mi: las primeras cinco notas alrededor del círculo en dirección de las manecillas del reloj.

Debemos crear acordes para las nuevas tonalidades. Si nos dirigimos al círculo de quintas encontraremos los acordes más populares para cada una de estas tonalidades.

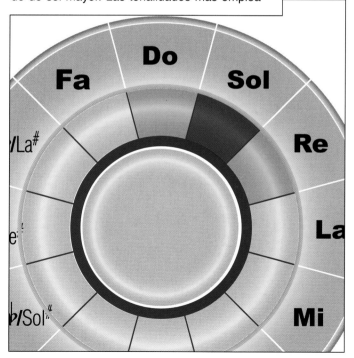

Tonalidades relativas menores

También debemos estudiar las tonalidades relativas menores que corresponden a las tonalidades mayores para que podamos cambiar de tonalidad hacia ellas,

tonalidad de si menor
tonalidad de fa# menor
tonalidad de do# menor

Si observamos a lo largo de la lista podremos dejar a un lado los acordes nuevos. Estos son la mayor, si mayor, mi mayor, do# menor, fa# menor y sol# menor. Así tendremos seis acordes nuevos por aprender, tres acordes mayores y tres menores.

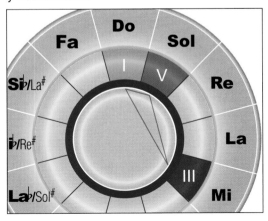

Identificación de los acordes con el círculo de quintas

Con el círculo de quintas podrá identificar las notas que componen los acordes mayores y menores. Para identificar las notas incluidas en un acorde mayor, dibuje un triángulo a partir de la tónica hacia la tercera nota de la escala que se encuentra a cuatro casillas siguiendo la dirección de las manecillas del reloj y, posteriormente hacia la quinta nota de la escala que se encuentra tres casillas atrás de esta nota. En el caso de do mayor serían do, mi y sol.

En los acordes menores, el triángulo se invierte, debe entonces dirigirse tres casillas en dirección contraria a las manecillas del reloj para encontrar la tercera nota y posteriormente cuatro casillas siguiendo la dirección de las manecillas del reloj a partir de este punto, para encontrar la quinta. En este caso nos produce las notas do, re# y sol.

Este triángulo rota alrededor del círculo para identificar las notas correspondientes a cualquiera de los acordes.

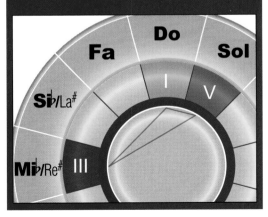

Acorde de la mayor

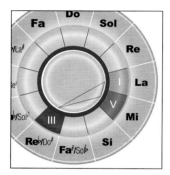

Izquierda: acorde de la mayor.
Derecha: acorde de la mayor
ignorando ambas cuerdas mi.

En el círculo para identificar las notas en el acorde de la mayor, empezaremos con nuestra tónica para la y avanzaremos cuatro casillas siguiendo la dirección de las manecillas del reloj hacia do# y tres casillas hacia atrás hasta mi. Las notas para el acorde de la mayor son la, do# y mi.

Ponga su dedo índice en el segundo traste de la cuerda re para producir un mi. El segundo dedo en el segundo traste de la cuerda sol para producir un la y el tercer dedo en el segundo traste, pero sobre la cuerda si para producir un do#.

Deberá apretar un poco sus dedos para acomodarlos todos en un solo traste, por lo cual será necesario que los mueva lentamente. Trate de colocar su dedo índice un poco más en la mitad del primero y segundo trastes, ponga su segundo dedo justo enfrente del primero y el tercero justo enfrente del segundo.

Podría colocar su dedo índice a lo largo del segundo traste e ignorar la cuerda mi agudo. La cuerda mi bajo por lo general es ignorada.

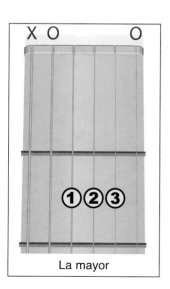

La mayor

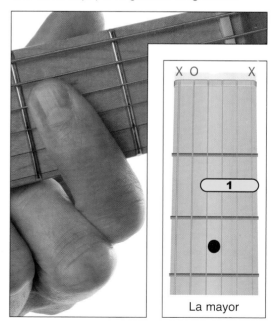

La mayor

Acorde de mi mayor

Deslizando nuestro triángulo de acordes alrededor del círculo podemos ver que las notas para el acorde de mi mayor son mi, sol# y si.

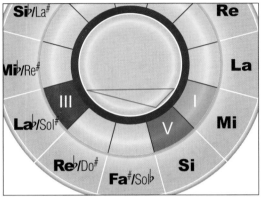

Para crear el acorde de mi mayor, ponga su dedo índice sobre el primer traste de la cuerda sol para transformarla en sol#. Posteriormente ponga su segundo dedo en el segundo traste de la cuerda la para producir un si, y luego su tercer dedo sobre el segundo traste de la cuerda re para producir un mi. Este es un acorde muy similar al acorde de mi menor.

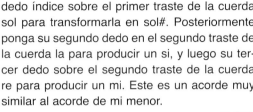

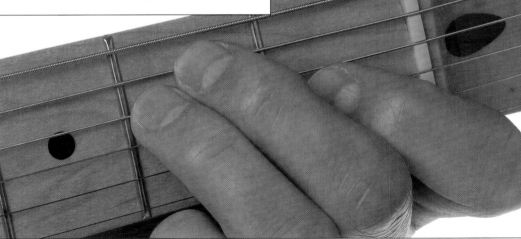

Acorde de mi mayor.

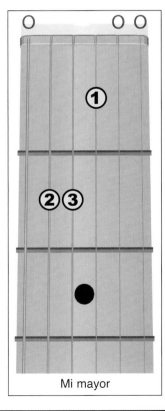

Mi mayor

Acorde de si mayor

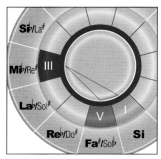

Izquierda: acorde de si mayor con cejilla.
Derecha: acorde doble de si mayor con cejilla.

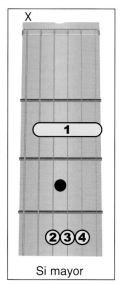

Si mayor

Usando de nuevo nuestro triángulo de acordes, notamos que las notas para si mayor son si, re# y fa#.

El acorde de si mayor es el mismo acorde mayor con cejilla para la cuerda la y se toca en el segundo traste.

Ponga el primer dedo a lo largo de las primeras cinco cuerdas superiores en el segundo traste. Así producirá un si sobre la cuerda la y un fa# sobre la cuerda mi agudo. Posteriormente, ponga el segundo, tercero y cuarto dedos sobre el cuarto traste de las cuerdas re, sol y si para producir las notas fa#, si y re#, respectivamente.

Este acorde tiene la misma forma del acorde de la mayor, pero se encuentra tres trastes más a la izquierda en el diapasón.

Es indispensable cubrir el cuarto traste con su tercer dedo a lo largo de las cuerdas re, sol y si.

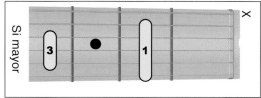

Si mayor

Alternativamente, puede ignorar las cuerdas la y mi bajo y usar su dedo índice justo sobre la cuerda mi agudo.

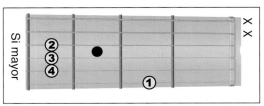

Antes de aprender los acordes menores, detengámonos un momento y practiquemos con los acordes mayores que acabamos de crear.

La siguiente progresión intercambia las tonalidades de re mayor y mi mayor y usa el acorde de la mayor como acorde común entre ellas.

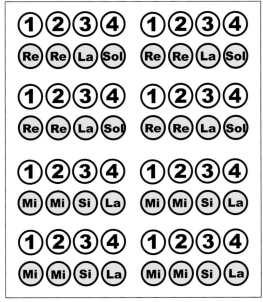

Le tomará un tiempo poder intercambiar entre la mayor y si mayor suficientemente rápido para mantener su ritmo; deberá experimentar usando acordes parciales y cejillas para ayudarse.

Acorde de si mayor ignorando las cuerdas la y mi bajo.

Acorde de do# menor

Acorde de do# menor.

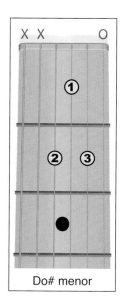

Do# menor

Exploremos los acordes menores que complementan las tonalidades relativas menores.

Utilizamos el segundo triángulo de acordes sobre el círculo para encontrar las notas que se requieren para producir los acordes menores. Están a tres casillas en dirección contraria a las manecillas del reloj, seguidas por cuatro casillas en la misma dirección de las manecillas del reloj.

El acorde de do# menor está compuesto por las notas do#, mi y sol#.

Ponga su dedo índice en el primer traste en la cuerda sol para producir un sol#. Ponga su segundo dedo en el segundo traste de la cuerda re para producir un mi. El tercer dedo va sobre el segundo traste de la cuerda si para producir un do#. Ignore las últimas dos cuerdas.

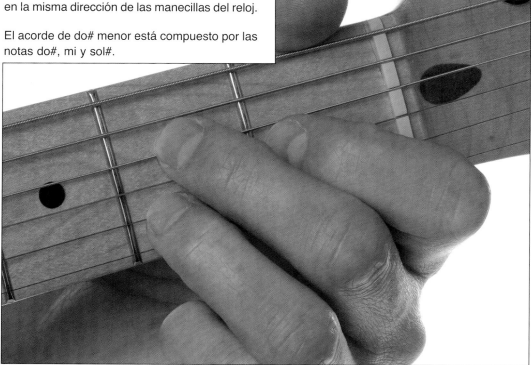

Acorde de fa# menor

Rotando el triángulo de acordes menores hacia la nota fa#, notará que las notas para el acorde menor son fa#, la y do#.

Puede ignorar la cuerda mi bajo para poder tocar el acorde con mayor facilidad pues ya tenemos dos fa# en el acorde.

Arriba: fa# menor con cejilla.
Abajo: fa# menor ignorando la cuerda mi bajo.

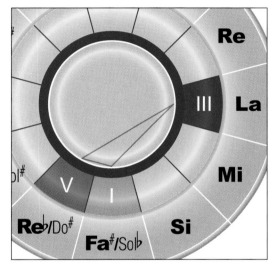

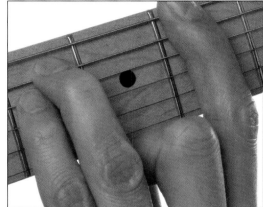

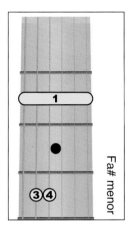

Para formar el acorde de fa# menor, usamos el acorde menor con cejilla para la cuerda mi.

Ponga su dedo índice a través de todas las cuerdas en el segundo traste, creando un fa# sobre ambas cuerdas mi, así como un la sobre la cuerda sol y un do# sobre la cuerda si. Ponga su tercer dedo en el cuarto traste de la cuerda la, creando otro do#. El cuarto dedo se coloca justo debajo del tercero sobre el cuarto traste de la cuerda re para producir un fa#.

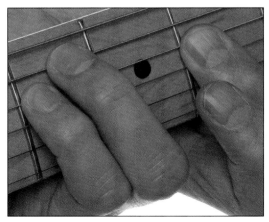

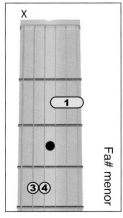

Acorde de sol# menor

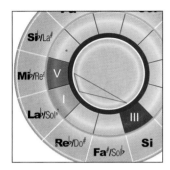

Si rotamos el triángulo de acordes menores dos casillas en la dirección de las manecillas del reloj hacia sol#, obtenemos las notas para el acorde de sol# menor. Ellas son sol#, si y re#.

Deslice la forma del último acorde dos trastes hacia la izquierda del mástil hasta el cuarto traste. El primer dedo crea notas sol# sobre las cuerdas mi, y si y re# sobre las cuerdas sol y si. El tercer dedo produce un re# y el cuarto un sol#. Ignore la cuerda mi bajo.

Acá presentamos un ejercicio empleando algunos de los acordes nuevos. Empieza en la tonalidad de do# menor y posteriormente modula hacia su tonalidad relativa mayor de mi.

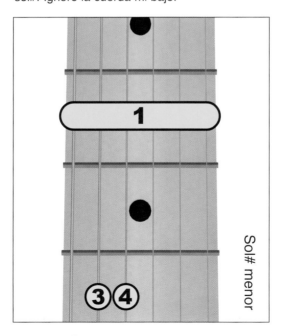

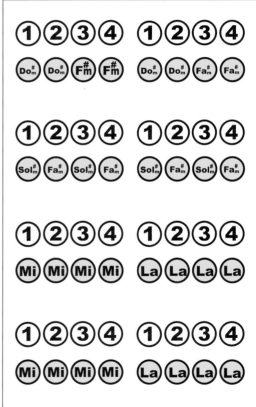

Transposición

Ensaye algunas de las tonalidades estudiadas. Podremos transportar ritmos hacia tonalidades nuevas usando el círculo de quintas.

Si analizamos los componentes del último ritmo, notaremos que las dos primeras partes alternan entre la tónica y su cuarta. Las dos segundas partes alternan entre los acordes cuarto y quinto. Posteriormente cambia de tonalidad hacia su tonalidad relativa mayor y alterna entre la tónica y la cuarta de la tonalidad mayor.

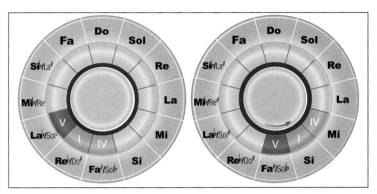

La tonada emplea diferentes acordes pero mantiene la misma relación entre ellos.

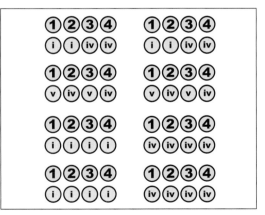

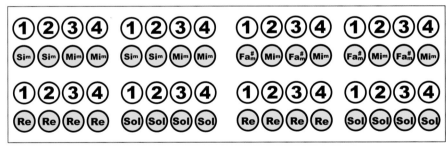

Podemos transportar esta pieza hacia otra tonalidad observando el patrón sobre el círculo de quintas y rotándolo hacia un nuevo punto. Si quiere tocar el mismo ritmo pero en la tonalidad de si menor, rote los patrones dos pasos en dirección contraria a las manecillas del reloj.

Intente transponer de los ritmos que hemos practicado hacia nuevas tonalidades.

La transposición se usa para transportar una canción hacia una tonalidad nueva, si un instrumento o cantante no alcanzan ciertas notas dentro de la tonalidad en la cual se encuentran.

Acordes extendidos

Cuando sienta que puede tocar con facilidad los acordes mayores y menores, querrá experimentar con acordes más complejos. Hasta el momento hemos empleado solamente acordes con tres notas, llamados tríadas, pero es posible encontrar acordes con cuatro o más notas en ellos; estos se conocen como acordes extendidos.

Un gran número de guitarristas evitan los acordes extendidos creyendo que son muy difíciles y, por tanto, ignoran cualquier símbolo adicional en los diagramas de acordes y partituras. Sin embargo, una vez logre entender la creación de los acordes extendidos notará que no son más difíciles que las tríadas.

Los acordes tienen como base las armonías: notas que suenan muy bien juntas. Las tríadas que hemos estudiado hasta el momento están compuestas por notas alternativas en la primera, tercera y quinta de una escala. Estas pueden extenderse en la escala incluyendo 7ª, 9ª, 11ª y 13ª. Esto se logra repitiendo la escala de siete notas; por tanto, una 9ª equivale a una 2ª, una 11ª a una 4ª y una 13ª a una 6ª.

Acorde de do mayor con 7ª mayor

El acorde extendido de do mayor con la séptima nota de una escala se conoce como acorde de do mayor con 7ª mayor. Está compuesto por las notas do, mi, sol y si. Al añadir más notas al acorde, mayor será la variedad de formas posibles para crearlo. Es mejor ensayar varias formas hasta encontrar la que más se adapte a la tonada en términos de sonido y de facilidad para intercambiar entre los diferentes acordes involucrados.

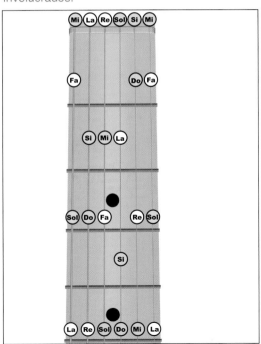

Aquí presentamos una versión del acorde de do mayor con 7ª mayor. Al escoger las notas que deben incluirse en al acorde, incluya al menos un si para producir una 7ª mayor.

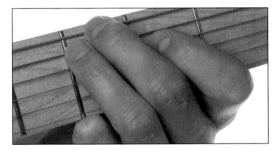

Existe otra versión del acorde de do mayor con 7ª mayor que puede usarse como acorde con cejilla en la nota tónica basada en la nota hecha por el primer dedo sobre la cuerda la.

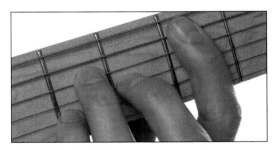

Los acordes mayores con 7ª poseen un sonido alegre y brillante y fueron usados en la música popular durante la década de los 1960.

Arriba: acorde de do mayor con 7ª mayor.

Abajo: acorde de do mayor con 7ª mayor con cejilla.

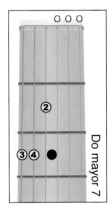

Do mayor 7

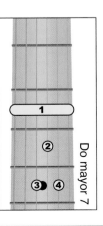

Do mayor 7

Acordes dominantes

Aunque las séptimas mayores se usan para escribir canciones, los acordes dominantes se emplean con más frecuencia.

Un acorde dominante con 7ª es muy similar a una séptima mayor pero con su séptima menor. Esto significa que la 7ª nota se coloca un traste más atrás. Un acorde de do con 7ª consta de las notas do, mi, sol y la#. (Recuerde que la# es lo mismo que si b.)

Así, el acorde obtiene una nota que no se encuentra en la escala de do mayor. En ocasiones las séptimas dominantes se denominan 7as menores.

Los acordes dominantes se escriben empleando un número después de la nota correspondiente a la nota ejemplo, do7 o do9, mientras que los acordes mayores siempre incluyen la palabra mayor en ellos, como en do mayor7.

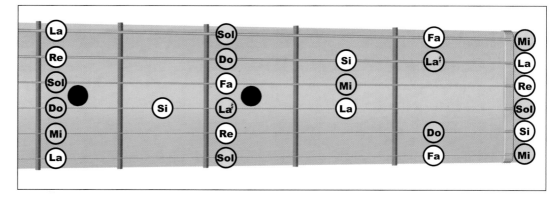

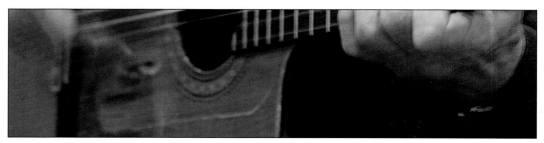

Acorde de do mayor con 7 menor

Practique esta versión del acorde de do mayor con 7 menor y escuche el sonido que produce. La séptima menor le otorga al acorde una sensación inconclusa, un sonido que parece requerir estar seguido de otro acorde. Ensaye intercambiando entre do mayor con séptima menor y fa mayor para escuchar el efecto.

Es muy usual que el acorde que se encuentra en la V posición en la escala se transforme en un acorde dominante con séptima. Los acordes de tres notas, por lo general, emplean el acorde dominante con séptima porque resuelve la tónica.

Acorde do7

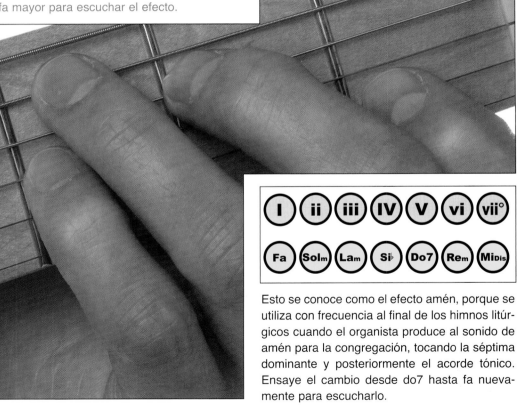

Esto se conoce como el efecto amén, porque se utiliza con frecuencia al final de los himnos litúrgicos cuando el organista produce al sonido de amén para la congregación, tocando la séptima dominante y posteriormente el acorde tónico. Ensaye el cambio desde do7 hasta fa nuevamente para escucharlo.

Acorde do7

Acá presentamos los acordes dominantes con 7ª más comunes para que los ensaye. Inclúyalos en los ritmos que ya ha ensayado intercambiándolos con los acordes en la posición V.

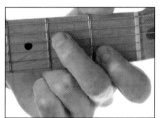
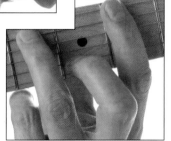
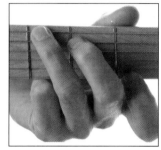

Fila superior: acordes la7, si7 y do7.
Fila inferior: acordes re7, mi7, fa7 y sol7.

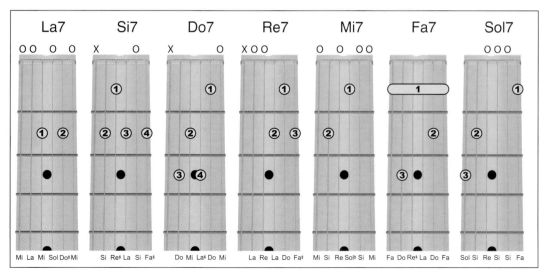

Puede crear acordes dominantes con séptimas menores del mismo modo, descifrando la séptima nota en la escala menor y tornándola en bemol. Estos acordes también se dirigirán hacia su acorde tónico.

Los acordes menores pueden tener séptimas mayores en cuyos casos se denominarán acordes menores con séptima mayor, pero su uso es poco frecuente.

Siguiendo la dirección de las manecillas del reloj desde arriba: acordes de solm7, en el traste 3, fam7, mim7, rem7, dom7, sim7 y dom7.

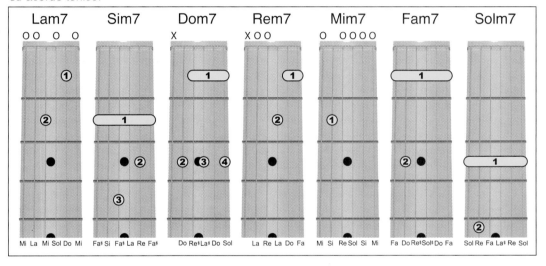

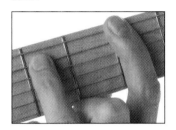

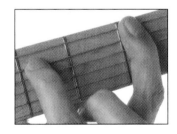

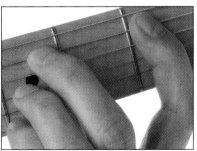

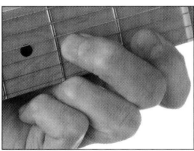

La razón por la cual estos acordes se conocen como séptimas dominantes es porque la quinta nota en la escala se denomina nota dominante. Todas las notas en una escala tienen su propio nombre.

Puede añadir una 7ª nota en bemol a cualquier acorde, pero el sonido que producirá siempre parecerá conducirle a resolverlo hacia un acorde que se encuentre a IV grados de este, tornando el 7° acorde en bemol un V en la escala de los acordes con resolución.

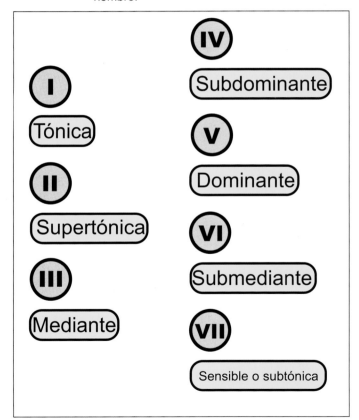

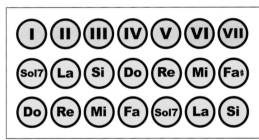

Puede adicionar entre sí acordes dominantes con 7ª y seguir el círculo de quintas, pero siempre será necesario dirigirse hacia una tríada mayor o menor, como en re7–sol7–do7–fa, siendo el acorde que resuelve fa mayor. Esta técnica se conoce como modulación porque avanza temporalmente hacia otras tonalidades.

Blues

Las séptimas pueden añadirse a acordes mayores o menores mientras toca; esta técnica se utiliza frecuentemente en el blues. Ensaye la siguiente secuencia manteniendo los acordes mayores y añadiendo o alterando con el acorde dominante con séptima mientras toca.

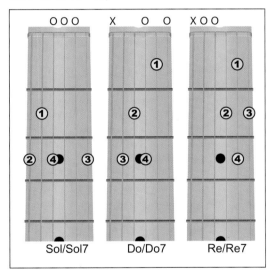

Sol/Sol7   Do/Do7   Re/Re7

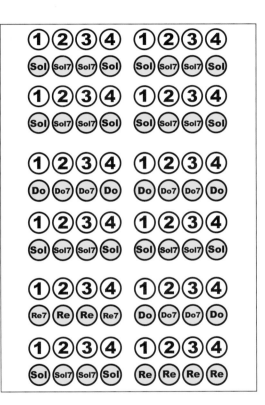

La secuencia anterior contiene doce partes de cuatro pulsos que circulan a través del 1º, 4º y 5º acordes de la tonalidad. Esta secuencia se denomina blues de 12 compases y es la base de la mayoría de la música rock. La 7ª menor es muy útil para añadir una sensación de blues o jazz a una tonada y se conoce como nota de blues.

Acordes con 9ª

Los acordes con 9ª son acordes dominantes con 7ª, a los cuales se les ha añadido una 9ª o una 2ª.

①	②	③	④	⑤	⑥	⑦
Do	Re	Mi	Fa	Sol	La	Si

⑧	⑨	⑩	⑪	⑫	⑬	⑭
Do	Re	Mi	Fa	Sol	La	Si

Un acorde de do mayor con 9ª menor emplearía las notas do, mi, sol, la #, re. Como la 9ª nota es la misma 2ª, los acordes en 9ª se generan subiendo una o más notas desde la tónica, dos trastes adelante en el diapasón.

Hay una versión con cejilla del acorde con 9ª comúnmente empleada. La tónica se toma al poner el dedo índice sobre la cuerda mi bajo, de modo que el acorde con 9ª aparezca sobre el 8° traste.

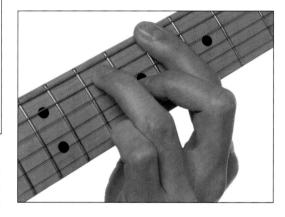

Izquierda: acorde de do9.
Derecha: acorde de do9, con cejilla en el 8° traste.

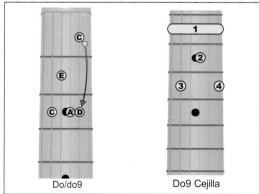

Do/do9   Do9 Cejilla

Acordes con 11ª y 13ª

Los acordes con 11ª y 13ª añaden notas al acorde dominante con 7ª. Un acorde de do mayor con 11ª incluirá las notas do, mi, sol, la#, re y fa. Un acorde con do mayor con 13ª contiene las notas do, mi, sol, la#, re y la. Hay problemas al tratar de formar estos acordes con sólo cuatro dedos y seis cuerdas disponibles, particularmente respecto a la 13ª porque contiene siete notas.

Es común que la nota tónica quede fuera del acorde al tocar en una banda porque es producida por otro instrumento, casi siempre el bajo. Es común ignorar la quinta nota del acorde. La tercera nota no puede retirarse porque determina si el acorde es mayor o menor. La 11ª en un acorde con 13ª puede ignorarse.

Observando los acordes con cejilla que creamos, podemos notar cómo al añadir notas alteramos la forma del acorde.

Centro arriba: acorde do7 con cejilla en el 8º traste.

Izquierda abajo: acorde do9 con cejilla.

Centro abajo: acorde do9 con cejilla.

Abajo derecha: acorde do13 con cejilla.

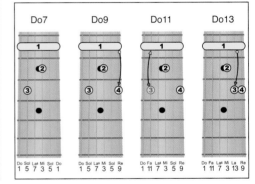

Do7	Do9	Do11	Do13
Do Sol La# Sol Do	Do Sol La# Mi Sol Re	Do Fa La# Mi Sol Re	Do Fa La# Mi La Re
1 5 7 3 5 1	1 5 7 3 5 9	1 11 7 3 5 9	1 11 7 3 13 9

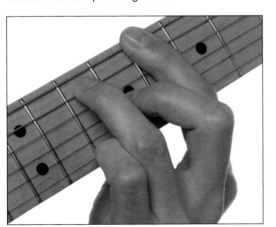

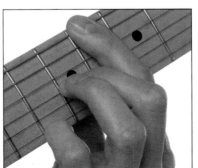

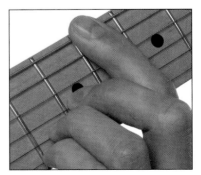

Con acordes de tríadas solamente existen unos pocos modos de organizar las notas para formar acordes, pero con acordes con 13ª obtenemos docenas de maneras de crearlos. Observe el diagrama de las notas en el diapasón e intente crear algunos a partir de las escalas que ya hemos estudiado.

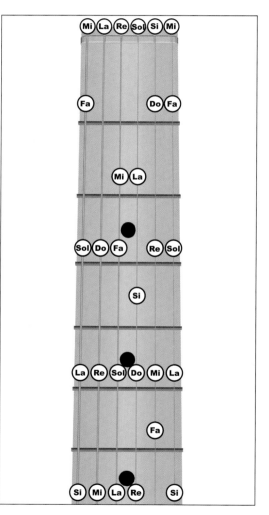

	1	2	3	4	5	6	7	8	9	10	11	12	13
La	La	Si	Do♯	Re	Mi	Fa♯	Sol♯	La	Si	Do♯	Re	Mi	Fa♯
Si	Si	Do♯	Re♯	Mi	Fa♯	Sol♯	La♯	Si	Do♯	Re♯	Mi	Fa♯	Sol♯
Do	Do	Re	Mi	Fa	Sol	La	Si	Do	Re	Mi	Fa	Sol	La
Re	Re	Mi	Fa♯	Sol	La	Si	Do♯	Re	Mi	Fa♯	Sol	La	Si
Mi	Mi	Fa♯	Sol♯	La	Si	Do♯	Re♯	Mi	Fa♯	Sol♯	La	Si	Do♯
Fa	Fa	Sol	La	Si♭	Do	Re	Mi	Fa	Sol	La	Si♭	Do	Re
Sol	Sol	La	Si	Do	Re	Mi	Fa♯	Sol	La	Si	Do	Re	Mi

Los acordes extendidos pueden sustituirse por una tríada mayor o menor en una tonada para darle un sentido diferente. Usted decidirá si experimenta para buscar el sonido que más le agrade.

Cómo leer y escribir música

Si al tocar guitarra pretende ir más allá de simplemente tocar ciertos acordes, tarde o temprano deberá aprender a leer música, y esto significa que deberá estudiar algo de teoría musical.

Este capítulo le suministra un rápido vistazo a la escritura y lectura de la música. Recorreremos las notas, los pentagramas, claves y otros símbolos musicales, así como métodos alternativos para leer y escribir música como tablas de acordes y tablaturas para guitarra.

Empezaremos con un breve repaso de lo que ya sabemos acerca de música:

Existen siete notas completas que van desde la hasta sol.

Hay un total de doce notas posibles incluyendo todos los sostenidos y bemoles.

Una escala es una secuencia de notas que sigue un patrón específico.

La escala menor relativa emplea las mismas notas de la escala mayor.

Las escalas aumentan o disminuyen su altura cuando se repiten, de modo que cada nota repetida es una octava más alta o baja que la previa.

Una tonalidad nos permite tocar un conjunto de acordes con base en las notas que aparecen en la escala.

Estudiaremos la forma como se ha escrito la música antes de enfocar los conceptos nuevos de tablas de acordes y tablaturas para guitarra.

Una partitura será algo confusa si nunca ha aprendido a leerla, pero una vez conozca algunas reglas de notación escrita, será descifrable.

Es más fácil leer música que escribirla, porque puede darle sentido a la notación musical sin entender realmente todos los símbolos ni poder leerla con fluidez. Sin embargo, requieren mucho cuidado y atención los detalles para escribir la notación musical para que otras personas puedan entenderla. Afortunadamente, existe una gran variedad de *software* para computador que le ayudan a escribir música; aunque para la mayoría de personas basta producir algunas notas para recordar una tonada o comunicar una idea a otros músicos.

Se requiere trabajo para alcanzar el nivel en el cual puede leer música a primera vista, lo cual significa que puede simplemente coger la partitura y tocar inmediatamente la tonada. Al principio le tomará tiempo entender una pieza musical al leer nota por nota.

Pentagramas

Claves

La música se escribe sobre grupos de líneas paralelas llamados pentagramas. Son cinco líneas con cuatro espacios, en los cuales cada línea y cada espacio representan una nota diferente.

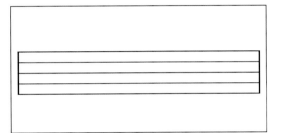

Sobre las líneas y en los espacios se colocan algunos puntos que indican las notas que van a ser tocadas. La música se lee de izquierda a derecha.

También se colocan diferentes símbolos al inicio de un pentagrama para indicar el grupo de notas que las líneas y los espacios representan.

El primer símbolo que aparece en un pentagrama siempre será una clave. Las dos claves más comunes son la clave de sol y la clave de fa. El tono en el cual se tocará la música y las notas representadas por las líneas y los espacios serán alteradas por la clave utilizada.

La clave de sol nos indica que la música que se encuentra sobre el pentagrama ha sido escrita para notas agudas. Esta es la clave más común en música para guitarra.

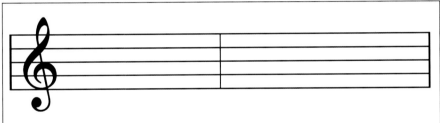

La clave de fa nos indica que las notas sobre su pentagrama son graves.

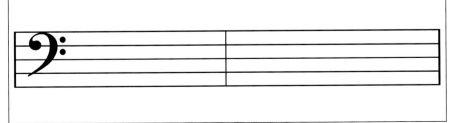

La clave de fa en notación musical en un pentagrama separado se encuentra por lo general bajo la clave de sol con el fin de ser leída y tocada por los intérpretes del bajo. Nunca se intercambia con la clave de sol en el mismo pentagrama.

Dos o más pentagramas se unen entre sí con una línea para demostrar que conforman una sola pieza de música.

Ambas claves se emplean en música para piano e instrumentos de teclado; la clave de fa representa las notas de la mano izquierda y la clave del registro agudo representa las de la mano derecha. La música escrita para teclado muestra un corchete al inicio uniendo las dos claves entre sí para indicar que son para el mismo instrumento. Los compases a lo largo de la pieza musical también están unidos.

La clave se incluye al inicio de cada pentagrama nuevo para tener una referencia más rápida.

Hay otras claves que se utilizan para instrumentos con afinaciones diferentes, pero que no vienen al caso en este momento. Puede encontrarlas en cualquier libro de teoría musical si le interesan.

Las notas de la clave de sol

Las notas del registro agudo también se denominan notas en clave de sol, no sólo porque la clave se parece a la letra G (su letra correspondiente en inglés), sino también porque la curva de la clave se enrosca alrededor de la línea que representa la nota sol

Cada línea y espacio representan una nota completamente diferente, con notas graves hacia la parte inferior de la clave y notas más altas en la parte superior.

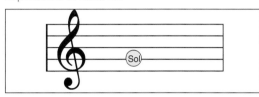

Existen diversos modos de recordar qué notas aparecen sobre las diferentes líneas. Uno de ellos consiste en recordar que la clave de las notas del registro agudo se enrosca alrededor de la línea que representa sol. Pero, si es necesario, puede inventar algún juego que le permita recordar las notas sobre las líneas del pentagrama; por ejemplo "**mi sol si re**fresca **fa**buloso."

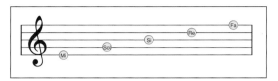

Las notas que se encuentran en los espacios intermedios siempre serán fa, la, do, mi.

Las notas de la clave de fa

Las notas del registro grave también se conocen como notas en clave de fa porque su clave se enrosca alrededor de la línea que representa la nota fa sobre el pentagrama; incluye además dos puntos a ambos lados de la línea fa.

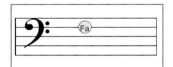

Las notas del registro grave ascienden desde la línea inferior siempre en el mismo orden.

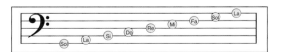

Las notas de la clave de fa difieren de las de la clave de sol.

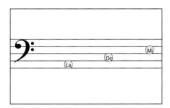

Líneas adicionales

Cuando una pieza musical contiene notas cuya altura es más alta o baja de lo permitido por el pentagrama, se requieren líneas adicionales.

Estas le añaden a cada clave un rango de tres octavas. Si las notas deben ir más allá de este rango se debe escribir un 8 o 8va. sobre o bajo el pentagrama con una línea continua o punteada que indica la tonalidad de notas afectadas. La línea debe terminar con ángulo recto.

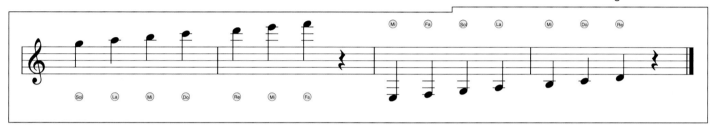

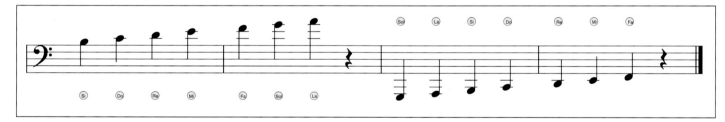

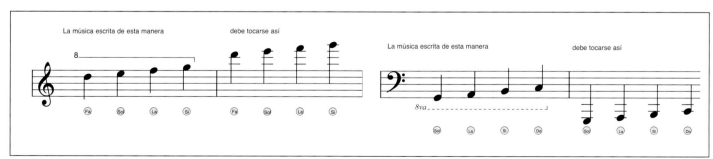

Do central

Las notas de las claves de fa y sol se disponen desde un punto conocido como do central. Do central está localizado a una línea adicional bajo la clave de sol y a una línea adicional sobre la clave de fa.

Nunca se encontrará música escrita con notas entrecruzadas entre los pentagramas. Los símbolos de 8va y las líneas adicionales siempre se usan para evitar confusión. Esto también aplica para la música de teclados, donde los pentagramas parecen estar unidos.

La música para guitarra está escrita en su mayoría en clave de sol, por lo cual nos concentraremos en esta clave a partir de este momento.

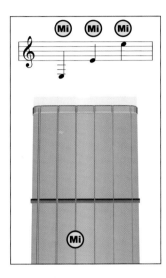

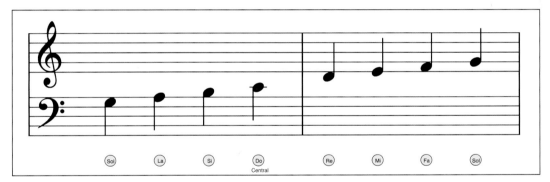

Cómo tocar las notas sobre la guitarra

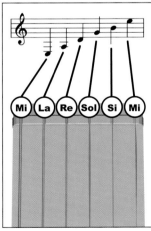

Ya conocemos las notas escritas en el pentagrama, pero ahora debemos encontrar el sitio donde se tocan sobre la guitarra; de otro modo podemos estar tocando las notas correctas pero en la octava errónea, o registro, como por lo general se conoce. Es muy fácil recordar que la línea de sol sobre la cual se enrosca la clave de sol es la misma cuerda sol al aire sobre la guitarra. Observe la ubicación de las notas en las cuerdas al aire.

Es obvio, entonces, que la distancia entre las dos cuerdas mi es de dos octavas.

Figuras de duración

Ya puede identificar las notas sobre el pentagrama y ubicarlas en el diapasón de la guitarra. Ahora debemos aprender a descifrar el ritmo de una pieza musical identificando la duración de cada una de las notas antes de avanzar hacia la siguiente.

Existen diferentes tipos de figuras, cada una con su propia duración y nombre. La nota básica con plica se denomina negra; dura un tiempo.

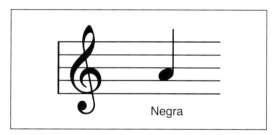

Negra

La duración de cada una de las notas se relaciona con el modo en que contamos cuando tocamos música. En los ejercicios previos que practicamos con progresiones de acordes contamos en pulsos de cuatro. Cada conteo debe tener la misma duración de una negra, haciendo que el tiempo de cada sección o compás musical equivalga a cuatro negras. Las demás notas tienen duraciones correspondientes a múltiplos o fracciones de la duración de una negra. Si estudiamos las demás notas, entenderemos mejor.

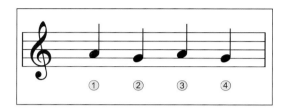

La blanca corresponde a la duración mayor de la negra y dura dos tiempos. Su apariencia es un poco diferente a la de la negra porque su figura es vacía.

Blanca

La blanca dura 2 pulsos y por eso se cuenta hasta dos.

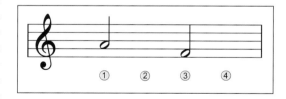

Es importante apuntar que el sonido de la nota continúa o se mantiene durante el conteo hasta dos y que no hay silencio entre las notas.

Ahora observemos la corchea que equivale a media negra. La corchea es similar a la negra pero con un pequeño ganchito unido a la plica de la nota. Este ganchito se llama corchete. La duración de la corchea es de medio tiempo, por

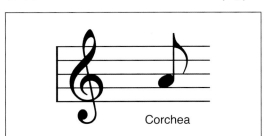

Corchea

lo cual dura medio pulso. Las medias notas o tiempos se cuentan añadiendo la palabra "y" entre los números, manteniendo inalterable el tiempo entre los mismos.

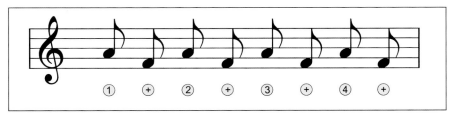

Ahora podrá identificar el ritmo de la música sabiendo cuánto tiempo mantener una nota antes de tocar la siguiente.

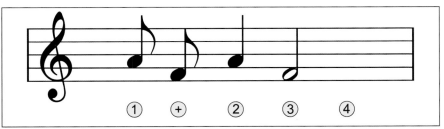

Si desea dejar silencios o espacios entre las notas, hay símbolos que le permiten hacerlo. Cada nota tiene su correspondiente símbolo que se añade en vez de colocar la nota para indicar un silencio de la misma duración. Acá presentamos una lista completa de las notas, sus valores y sus silencios.

Nota	Nombre	Duración de la nota	Silencio	Valor del conteo
Redonda		1		4
Blanca		1/2		2
Negra		1/4		1
Corchea		1/8		1/2
Semicorchea		1/16		1/4
Fusa		1/32		1/8
Semifusa		1/64		1/16

La plica de una nota, si la tiene, apunta hacia arriba si la nota se encuentra en la mitad inferior del pentagrama; y hacia abajo, si se encuentra en la mitad superior. Si la nota se encuentra sobre la línea de la mitad en el pentagrama, la plica apunta en cualquier dirección dependiendo de hacia dónde apuntan las plicas de las demás notas que se encuentran a su lado.

El corchete de las notas con valores menores siempre se encuentra a mano derecha de la plica. Las notas cuya duración es de una corchea o menos, tienen sus plicas unidas entre sí de modo que equivalgan a la duración de una negra o de un tiempo. De esta manera puede reconocerse el número de notas y su duración fácilmente.

Indicadores de compás

Otro instrumento para describir el ritmo es el indicador de compás. Este consta de un par de números al inicio del pentagrama que le indicarán cómo contar el ritmo mientras toca las notas. También permite que el pentagrama se divida en compases.

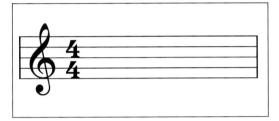

El número superior indica el número de tiempos o conteos que constituyen el compás. Si el número superior es 4 debe contar desde 1 hasta 4 por cada compás. Si el número superior es 3, debe contar desde 1 hasta 3, y así sucesivamente.

El número inferior le indica la figura que corresponde a cada pulso. El número no es la figura musical, sino la cantidad de figuras que componen una redonda, cuya duración equivale a cuatro negras o dos blancas. De modo que un cuatro como número inferior significa que cada pulso debe igualar una nota negra. Un número dos en la parte inferior significa que se requieren dos blancas, y un ocho significa ocho corcheas.

4
4 significa cuatro tiempos por compás, y cada tiempo es de una negra.

4
2 significa cuatro tiempos por compás, y cada tiempo es de una blanca.

4
8 significa cuatro tiempos por compás, y cada tiempo es de una corchea.

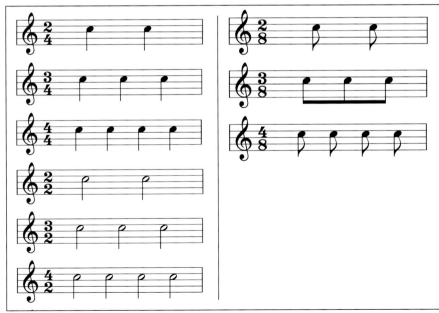

El compás de cuatro cuartos es el indicador de compás más popular, particularmente en la música pop y rock. En ocasiones presenta una C sobre el pentagrama a cambio de los números que indican compás de cuatro cuartos.

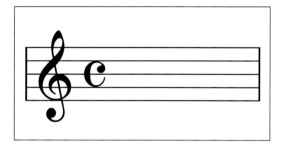

Cada compás en una pieza musical contiene notas y silencios cuyo valor equivale al número establecido en la mitad superior del indicador de compás. Cuando este valor se ha logrado, se dibuja la barra para indicar un nuevo compás. Así podrá leer rápidamente la música y mantenerla en su lugar.

Los indicadores pueden cambiar durante una pieza musical pero el cambio siempre ocurrirá al inicio del compás. Al final se dibuja una barra doble para indicar el cambio.

Ligaduras

Si una nota debe sostenerse durante un tiempo mayor al compás, hay que dividirla en notas más pequeñas unidas por una ligadura representada por una línea curva entre ellas.

Las notas ligadas deben tocarse como notas sencillas cuya duración es el valor combinado de las notas ligadas. Se pueden encontrar dos notas ligadas sobre diferentes líneas del pentagrama.

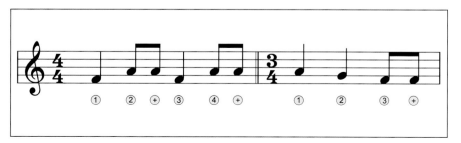

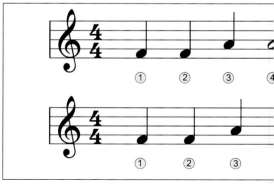

Alteraciones

Esto significa que dos notas se tocan con un solo ataque deslizando su dedo de un traste hacia el siguiente.

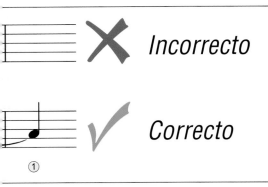

Incorrecto

Correcto

①

El pentagrama solamente acepta notas naturales: que no son sostenidas ni bemoles. Para las notas sostenidas o bemoles su símbolo correspondiente se coloca justo antes de ellas sobre su línea natural. Estos símbolos se llaman alteraciones.

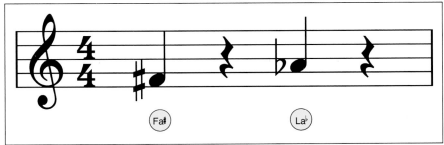

Cuando se emplea una alteración su efecto continúa durante el compás y afecta cualquier otra nota sobre esta línea o espacio. El efecto se cancela cuando aparece un símbolo natural o el compás termina.

♭ Bemol
♯ Sostenido
♮ Natural

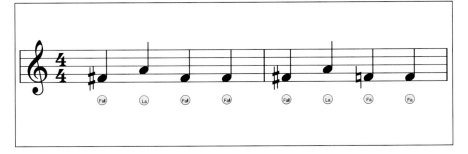

Puntillos

Repeticiones

Podrá encontrar notas con un punto a su derecha; significa que el valor debe prolongarse en la mitad de su duración. Así tendrá acceso a notas de duración extraordinaria. Una blanca con puntillo dura tres tiempos, en vez de dos. Una negra con puntillo dura un tiempo y medio, y una corchea con puntillo dura tres cuartos de una negra. El valor del compás no debe excederse al usar notas con puntillos.

Con frecuencia encontrará que algunas secciones musicales dentro de una tonada deben repetirse. En vez de escribir la sección nuevamente, puede emplear símbolos de repetición para indicar las que deben tocarse de nuevo. Son comunes al término de la canción cuando las secciones deben repetirse hasta desvanecer la música. Grandes secciones para repetir pueden encontrarse cuando los versos en una canción son exactamente iguales, y por tanto, la música debe tocarse nuevamente, cambiando la letra en ocasiones.

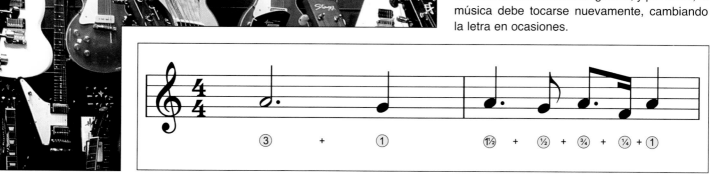

Repita esta sección

Tempo

Ya tenemos idea de cómo interpretar el ritmo a partir de la notación musical, pero necesitamos algo que nos indique la velocidad a la cual se toca el ritmo.

La velocidad o tempo de la música se indica usualmente justo sobre el primer pentagrama. Encontrará el símbolo de una nota indicando su equivalencia a un número. El símbolo de la nota está indicado por el número inferior en el indicador de compás. El número es el tempo y le indica cuántas notas deben tocarse por minuto. Si el tempo es 120, entonces 120 notas se tocan por minuto; puede escribirse como 120 pm.

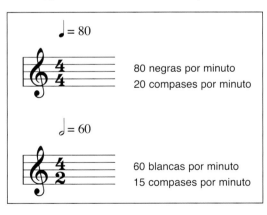

80 negras por minuto
20 compases por minuto

60 blancas por minuto
15 compases por minuto

Acordes

Para indicar los acordes en música escrita debe agrupar las notas en el acorde una sobre la otra con una sola plica y corchete si lo requieren. En ocasiones también verá el nombre del acorde escrito bajo la música —puede ser bajo la clave de sol—.

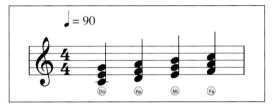

Tablas de acordes

Es algo común en los libros de música popular emplear tablas de acordes en la parte superior del pentagrama para indicar cómo tocar los acordes en la guitarra, porque los acordes en la música deben escribirse tal como deben tocarse en un teclado.

Las tablas tienen seis líneas verticales que representan las cuerdas desde mi bajo hasta mi agudo y cuatro o cinco líneas horizontales que representan los trastes. Debe usarse una "o" para indicar una cuerda al aire y una "x" para indicar cuerdas bloqueadas o ignoradas. El nombre del acorde se indica sobre la tabla.

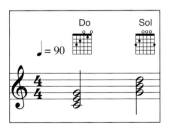

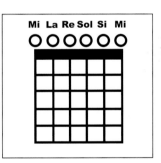

Armadura de la tonalidad

La información faltante acerca del rompecabezas de notación musical es la más compleja y se refiere a la identificación de la tonalidad en la cual se toca la música. Refresquemos nuestra memoria acerca de escalas y tonalidades.

Ya dijimos que la música se toca en tonalidades, en las cuales ciertas notas y acordes se tocan coherentemente juntos, evitando tener que inventar lo que se va a tocar.

La tonalidad tiene como base las notas de una escala y la escala es un patrón específico de notas empezando con la nota tónica. Tanto la tonalidad como la escala toman su nombre básico de la tónica.

La escala mayor tiene como base un patrón de tonos y semitonos, y cada escala mayor tiene una escala menor relativa con la cual comparte las mismas notas.

El patrón para una escala mayor es tono, tono, semitono, tono, tono, tono, semitono. Un semitono está a un traste de distancia y un tono a dos. Con este patrón, podemos descifrar las escalas observando el diapasón de la guitarra.

La escala de do mayor funciona como do, re, mi, fa, sol, la, si, do.
La escala de sol mayor funciona como sol, la, si, do, re, m,i fa#, sol.
La escala de re mayor funciona como re, mi, fa#, sol, la, si, do#, re.
La escala de la mayor funciona como la, si, do#, re, mi, fa#, sol#, la.

Cada una de las escalas presentadas incluye una nota sostenida más que la escala anterior. El orden de las escalas presentadas sigue el orden de las notas que se mueven en sentido de las manecillas del reloj alrededor del círculo de quintas.

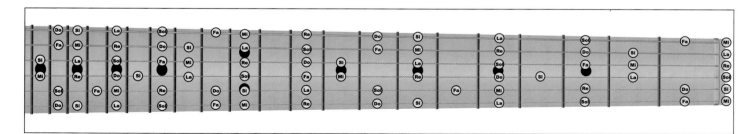

Continuando alrededor, el círculo nos muestra que cada tonalidad tiene un número ascendente de sostenidos en aquél. Do no tiene ninguno, sol tiene uno, re tiene dos, la tiene tres, mi tiene cuatro, si tiene cinco, fa# tiene seis y do# tiene siete.

El círculo nos lleva más allá ayudándonos a identificar las notas sostenidas en cada tonalidad.

Sabemos que en la tonalidad de sol mayor hay una nota sostenida, fa#. Si confirma sobre el círculo, esta es la primera nota sostenida en dirección de las manecillas del reloj desde sol. La escala de re mayor tiene dos notas sostenidas, fa# y do#. Tal como puede ver, la siguiente

nota sostenida en sentido de las manecillas del reloj sobre el círculo a partir de fa# es do#. El patrón continúa usando equivalentes enarmónicos cuando sean apropiados.

Do no tiene sostenidos.
Sol tiene uno: fa#.
Re tiene dos: fa# y do#.
La tiene tres: fa#, do# y sol#.
Mi tiene cuatro: fa#, do#, sol#, re#.
Si tiene cinco: fa#, do#, sol#, re#, la#.
Fa# tiene seis: fa#, do#, sol#, re#, la#, mi#.
Do# tiene siete: fa#, do#, sol#, re#, la#, mi#, si#.

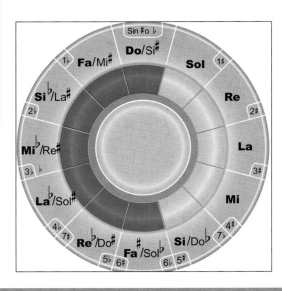

También podemos emplear el círculo para identificar las escalas que incluyen notas bemoles en ellas. Si nos movemos en dirección contraria a las manecillas del reloj, a partir de do, llegamos a fa. La escala de fa tiene una sola nota

bemol, sib, que corresponde a la primera nota bemol en dirección contraria a las manecillas del reloj a partir de fa.

Do no tiene bemoles.

Fa tiene un bemol: sib.

Sib tiene dos bemoles: sib, mib.

Mib tiene tres bemoles: sib, mib, lab.

Lab tiene cuatro bemoles: sib, mib, lab, reb.

Reb tiene cinco bemoles: sib, mib, lab, reb, solb.

Solb tiene seis bemoles: sib, mib, lab, reb, solb, dob.

Dob tiene siete bemoles: sib, mib, lab, reb, Solb, dob, fab.

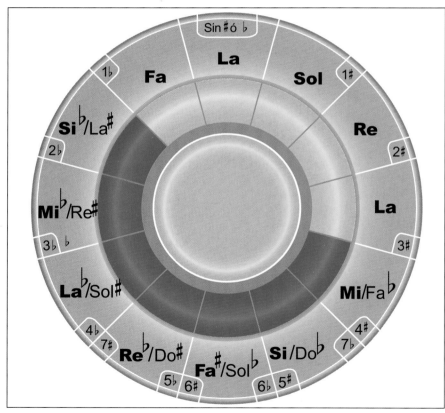

Tonalidad de la mayor

En la música escrita, a menos que se indique lo contrario, la tonalidad excepcional es do mayor, la única tonalidad sin sostenidos ni bemoles. Si la música se escribe en cualquier otra tonalidad, entonces el número de sostenidos o bemoles se añade al inicio del pentagrama, después de la clave y antes del indicador del compás.

Tablatura

Los sostenidos o bemoles se escriben en el pentagrama en el orden en el cual aparecen en la tonalidad, y sobre la línea correcta para la nota. Por ejemplo, si ve tres símbolos de sostenido al inicio de una pieza musical, sabrá que esta se encuentra en la tonalidad de la mayor. Si no puede recordar las notas sostenidas para la mayor, puede leerlas a partir de su posición en el pentagrama y saber que fa, do y sol son sostenidos. Esto significa que fa, do y sol en la música deben ser tratadas como sostenidos, sin importar la octava en la cual se encuentren.

Las tablaturas son una forma relativamente nueva de escribir música para guitarra, cuyo origen data de la música medieval para laúd y es mucho más fácil de aprender que la notación musical estándar; evita la necesidad de *software* especial para crear música porque permite que la música se escriba usando un programa básico para edición de texto o procesador de palabras, por lo cual se emplea con frecuencia para colocar música en la Internet. Sin embargo, como la música es específica para guitarras, es muy difícil que otro tipo de músicos la entienda y puede causar problemas al tocar en una banda.

Como las tablaturas no indican la duración de las notas, son útiles solamente para canciones con cuya melodía se está familiarizado. Tampoco indican la tonalidad en la cual la tonada está escrita. Así como ocurre en la notación musical estándar, tampoco indica los dedos que debe usar para formar los acordes. Sin embargo, las tablaturas le indican los trastes que debe tocar sobre cada cuerda, motivo por el cual son populares entre principiantes. Las tablaturas se representan como seis líneas paralelas que equivalen a las seis cuerdas de la guitarra. La línea superior es la cuerda mi agudo. La palabra TAB se escribe por lo general verticalmente a lo largo de las líneas.

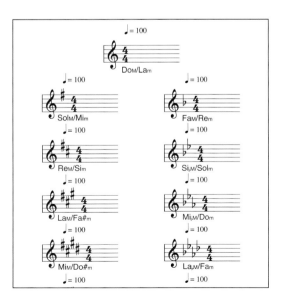

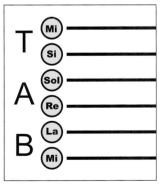

Los números se escriben directamente sobre las líneas para indicar el traste que debe presionarse. El cero se emplea si la cuerda se toca al aire, y la línea se deja en blanco si es necesario ignorar la cuerda.

Para tocar la escala de sol mayor a partir de la cuerda mi bajo el diagrama sería:

En ocasiones, los espacios de las notas nos dan un indicio de su duración. Algunas versiones de las tablaturas incluyen símbolos de notas sobre los números para indicar la duración de las notas.

En la presentación de los acordes, los números se escriben directamente uno sobre el otro.

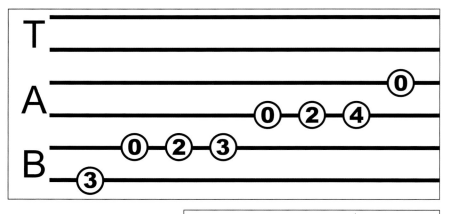

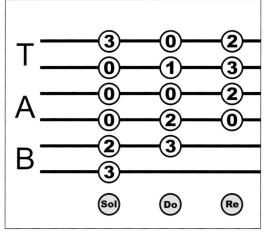

A veces, las secuencias de acordes se escriben como listas de texto ignorando las líneas. Estas listas se presentan horizontalmente, copiando las cuerdas en el orden: mi, la, re, sol, si, mi. El cero indica la cuerda al aire y la x se usa para recordar que la cuerda debe ignorarse.

Al escribir tablaturas por computador, las líneas para las cuerdas están compuestas por guiones. Es más fácil crear primero un conjunto de cuerdas en blanco con los guiones, y posteriormente copiarlos y pegarlos en otro documento. Las líneas no deben ser demasiado largas porque pueden sobrepasar el borde del documento y llegar a la siguiente línea, arruinando su distribución. El promedio es de 50 a 60 caracteres de longitud. Emplee un tipo de letra sencillo porque la mayoría de tipos de letra tienen diferente espesor para cada uno de sus números y letras, y alteran su distribución.

Existen cientos de melodías para guitarra con tablaturas disponibles en Internet, y es muy probable que encuentre sus melodías favoritas escritas por alguien más. Sin embargo, debe tener en cuenta que la mayoría de estas tablaturas corresponden a interpretaciones personales de las canciones y no son reproducciones exactas de la música original.

Las tablaturas funcionan mejor cuando se usan en conjunto con la notación musical tradicional y las tablas de acordes, suministrando la mayor cantidad de información posible.

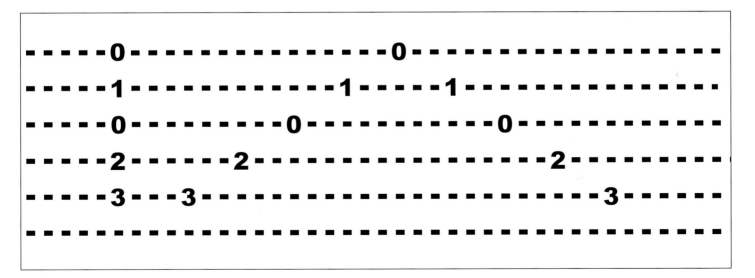

Guitarra líder y escalas

La práctica de las escalas es una buena manera de conocer el diapasón y le indicará el camino para llegar a ser un buen guitarrista.

En este capítulo estudiaremos las escalas musicales más comunes y entenderemos cómo se crean.

Las escalas son un poco aburridas pero son también muy útiles y funcionan particularmente bien sobre la guitarra. Rápidamente conocerá las notas que deben añadirse a los acordes para añadir textura y color a sus tonadas.

Localización de las octavas

Al abordar las escalas, es esencial tener muy buen conocimiento de la ubicación de las notas en el diapasón de la guitarra; así podrá transportar los patrones de las escalas alrededor del diapasón para adaptarlas a las diferentes tonalidades. Observe nuevamente la ubicación de las notas para refrescar su memoria.

Es muy importante tener la habilidad para encontrar la octava de una nota particular. Esto es fácil de hacer sobre la guitarra, porque simplemente consiste en seguir patrones sencillos.

Para encontrar una nota una octava más arriba que la original sobre las cuerdas mi bajo y la debe ascender dos cuerdas y dos trastes hacia arriba sobre el diapasón. Esto significa que para encontrar la octava de sol sobre el tercer traste de la cuerda mi bajo debe ascender dos cuerdas hacia re y desplazarse dos trastes adelante hasta el 5° traste.

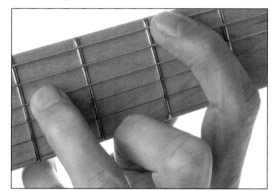

Octavas a partir de la cuerda mi bajo.

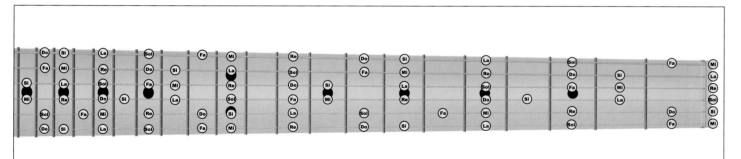

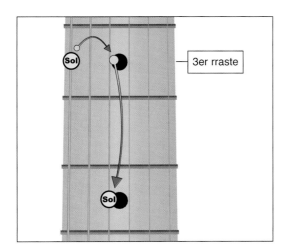

3er rraste

Este patrón funciona para cualquier nota sobre las dos cuerdas del bajo.

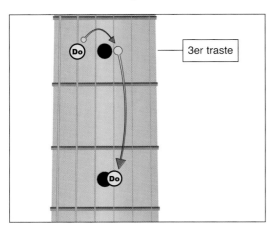

3er traste

Para encontrar la siguiente octava a partir de las cuerdas re y sol, el patrón cambia levemente. Debe desplazarse dos cuerdas hacia arriba y dos trastes adelante. Para buscar una octava a partir del mi que está sobre el segundo traste de la cuerda re debe ascender dos cuerdas hacia la cuerda si y desplazarse tres trastes adelante hasta el 5º traste.

Nuevamente, este patrón funciona para las notas que yacen a lo largo de las cuerdas re y sol.

Octavas a partir de la cuerda re.

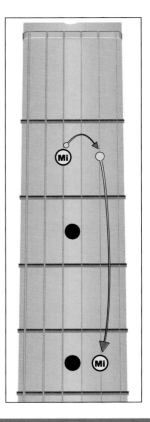

Octavas a partir de la cuerda mi agudo.

La combinación de estos dos patrones le permitirá encontrar rápidamente la distancia entre dos octavas. Si observamos nuevamente el sol, el primer sol se encuentra sobre el tercer traste de la cuerda mi bajo; el segundo sol, una octava más arriba, se encuentra sobre el quinto traste de la cuerda re, y el tercer sol, dos octavas más arriba que el original, se encuentra en el 8° traste de la cuerda si.

Existe un patrón similar para encontrar las octavas que descienden a partir de las cuerdas más altas. Para encontrar la siguiente octava hacia abajo, a partir de las cuerdas mi agudo y si, descienda tres cuerdas y ascienda dos trastes.

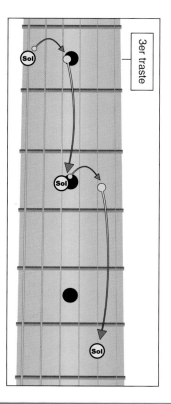

3er traste

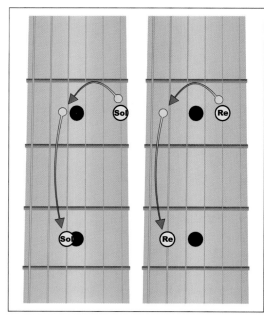

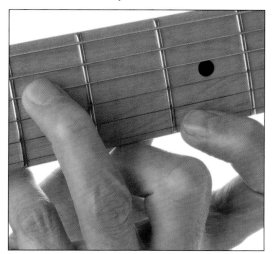

Si puede encontrar rápidamente las octavas de cualquier nota, podrá aprender la posición de todas las notas sobre el diapasón. Si conoce todas las notas de las cuerdas mi bajo y la podrá descifrar y reconocer la localización de las notas sobre las demás cuerdas utilizando los patrones para octavas.

Como ejercicio, trate de tocar cualquier nota sobre el diapasón al azar y calcule cuánto tiempo le toma identificarla.

La escala cromática

Todas las escalas que hemos estudiado hasta el momento han sido mayores o menores con siete notas, pero no todas emplean siete notas, algunas utilizan más y otras menos.

La primera escala que vamos a analizar en este momento tiene doce notas y cubre todo el rango de notas posibles. Se conoce como "escala cromática" y se mueve en semitonos o trastes sencillos. Aunque esta escala no es muy útil al tratar de diseñar solos, sí es un buen ejercicio para sus dedos y le probará cómo la buena posición de estos mejora la fluidez al tocar.

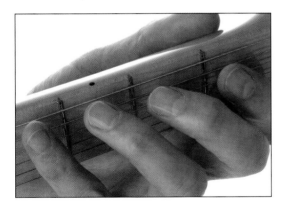

Aprendamos la escala cromática iniciando a partir de la nota mi al aire sobre la cuerda mi bajo y recorreremos todas las notas y trastes hasta alcanzar la cuerda mi agudo, luego nos devolveremos.

Para tocar las escalas sobre la guitarra trate de utilizar un dedo para cada traste cubriendo una distancia de cuatro trastes. Hágalo primero sólo sobre la cuerda mi bajo. Sostenga su mano izquierda de modo que cada uno de sus dedos quede sobre un traste; el índice en el primer traste, el segundo dedo en el segundo traste y así sucesivamente.

Pulse la cuerda mi bajo cinco veces, poniendo un dedo después de otro sobre los trastes de modo que recorra las notas mi, fa, fa#, sol, sol#. Luego hágalo en dirección contraria, retirando un dedo a la vez de los trastes.

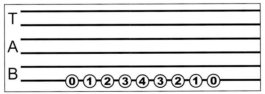

Realícelo varias veces hacia delante y hacia atrás para acostumbrarse a la sensación de colocar y levantar los dedos consecutivamente. Trate de mantener su ritmo constante y parejo entre las notas e intente pulsarlas limpiamente. Mantenga sus dedos alejados a una distancia muy corta cuando no están presionando las cuerdas, para poder realizar el ejercicio con mayor rapidez. Relaje sus dedos para que su movimiento y reacciones sean más rápidos.

Posición de los dedos sobre los cuatro primeros trastes.

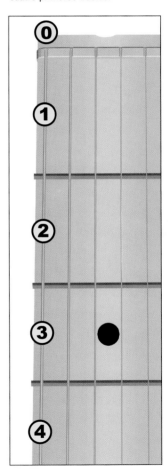

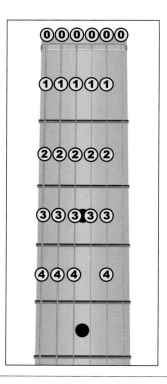

Para completar la escala debe desplazar la posición de su mano izquierda, de cuerda en cuerda, tocando cada uno de los trastes a su vez. Si recuerda que la nota en el quinto traste de cada una de las cuerdas es la misma nota de la siguiente cuerda al aire, excepto para sol, le será posible cubrir todas las notas requeridas. Toque solamente los tres primeros trastes de la cuerda sol para desplazarse desde la# hasta si al aire.

Una vez llegue a la cima, devuélvase de nuevo. Repita este proceso una y otra vez, manteniendo el ritmo constante pero tratando de incrementar gradualmente la velocidad a la cual trabaja. Cuando adquiera cierta práctica, trate de hacerlo sin mirar su mano izquierda.

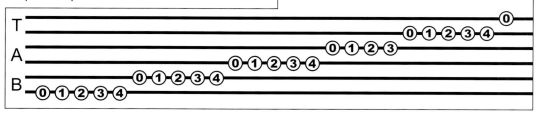

Escala mayor

La escala mayor es la escala más importante que debe aprenderse. Conocer esta escala le permitirá aprender las demás con mayor facilidad porque podrá relacionarlas en términos de los cambios realizados a la escala mayor. Además, conocer una escala mayor significa conocer la escala de su menor relativo, porque ambas emplean las mismas notas.

Antes de empezar a tocar una escala mayor, observemos de nuevo las relaciones entre las notas, escalas y tonalidades para asegurarnos de entender qué ocurre en ellas. Tomemos la escala de do mayor porque no incluye sostenidos ni bemoles en ella, aunque lo que explicaremos a continuación aplica para cualquier escala.

Escala de do mayor

Una escala mayor está definida por el patrón de intervalos o espacios entre las notas. Este patrón es: tono, tono, semitono, tono, tono, tono, semitono. Un semitono equivale al espacio de un traste. En el caso de do mayor, el patrón correspondería a las notas do, re, mi, fa, sol, la, si, do.

Los acordes que componen una tonalidad mayor también siguen un patrón: mayor, menor, menor, mayor, mayor, menor, disminuido. En el caso de do mayor serían los acordes: do mayor, re menor, mi menor, fa mayor, sol mayor, la menor, si disminuido.

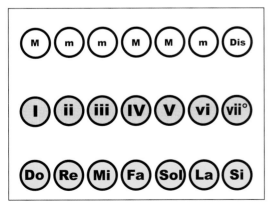

Es importante aprender que todos estos acordes están compuestos por notas a partir de la escala de do mayor. Por ejemplo, el acorde de re menor está compuesto por re, fa y la, mientras que el de si disminuido está compuesto por si, re y fa.

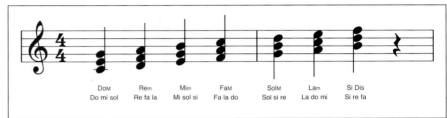

Esto será relevante cuando desee tocar un solo. Si ha preparado una melodía que utilice cualquiera de estos acordes y desea tocarla como un solo puede emplear las notas de la escala de do mayor: encajarán perfectamente. Inversamente, si conoce perfectamente la escala puede tocar todos los acordes que esta incluye.

Acordes diatónicos

Los acordes que emplean notas de otra escala se denominan "diatónicos" a la tonalidad. Esto significa que todos los acordes en la tonalidad de do mayor son diatónicos, excepto por el acorde do mayor en sí que se conoce como acorde tónico.

Escala de sol mayor

Observemos otra escala. Esta vez la escala de sol mayor. Esta escala incluye las notas sol (T), la (T), si (S), do (T), re (T), mi (T), fa# (S), sol

te y hacia atrás varias veces para acostumbrarse a ella.

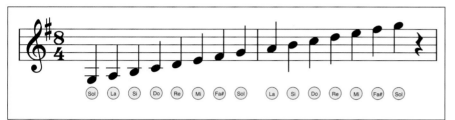

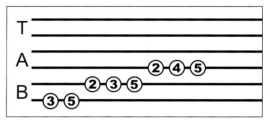

Por tanto, los acordes en la tonalidad de sol mayor son: sol mayor, la menor, si menor, do mayor, re mayor, mi menor, fa# disminuido. Estos acordes están construidos a partir de las notas de la escala de sol mayor.

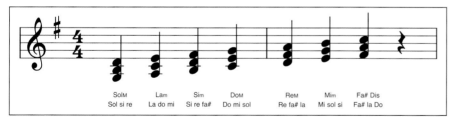

SolM	Lam	Sim	DoM	ReM	Mim	Fa# Dis
Sol si re	La do mi	Si re fa#	Do mi sol	Re fa# la	Mi sol si	Fa# la Do

Ahora toquemos la escala de sol mayor sobre la guitarra para escuchar cómo suena. Empecemos a tocar desde el sol que se encuentra sobre el 3er traste de la cuerda mi bajo. Utilice la regla de un dedo por traste que empleamos con la escala cromática y empiece con el segundo dedo sobre sol. Toque esta escala hacia delan-

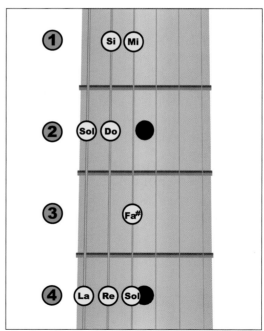

Primer patrón de escalas

Ahora extenderemos la escala una octava más y utilizaremos las seis cuerdas. Mantenga la regla de un dedo por traste y toque la escala hacia delante y hacia atrás hasta cuando se sienta confiado con ella.

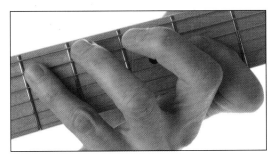

El patrón de notas que se produce a través del diapasón se denomina patrón de escala y puede cambiar de posición, de modo que forme una escala mayor a partir de cualquier nota que se encuentre sobre la cuerda mi bajo.

Si quisiera tocar la escala de do mayor deberá deslizar este patrón a lo largo del 8° traste de la cuerda mi bajo.

Izquierda: escala de sol mayor.
Abajo: escala de do mayor.

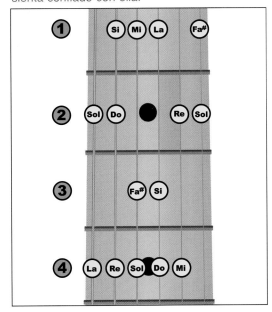

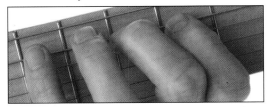

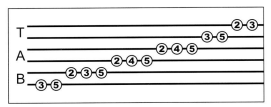

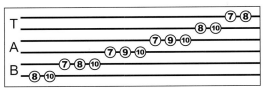

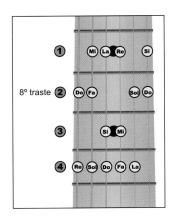

Si cambia el patrón de posición puede tocar todas las escalas mayores sobre la guitarra, incluso sin conocer las notas. Solamente debe encontrar la tónica sobre la cuerda mi bajo.

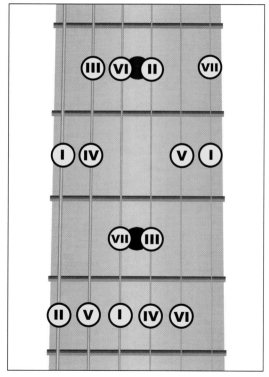

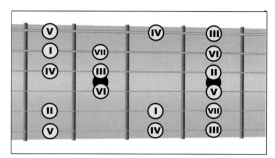

Si empleamos este patrón para tocar la escala de sol mayor, debemos empezar sobre el 10º traste de la cuerda la.

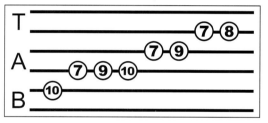

Observemos otro patrón de escala mayor. Esta vez la nota tónica se encuentra a lo largo de la cuerda la.

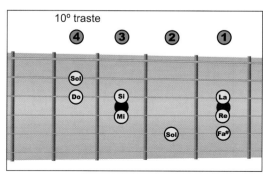

Cómo combinar patrones de escalas

El aprendizaje de este nuevo patrón de escalas parece no muy significativo si el que acabamos de aprender funciona perfectamente, pero observemos lo que ocurre cuando empleamos ambos patrones al mismo tiempo.

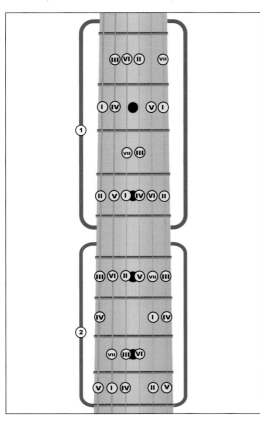

Todas las notas en la escala de sol mayor aparecen sobre el diapasón. Al combinar estos patrones podrá cubrir un rango más amplio. También podrá observar patrones alternativos entre los dos que hemos estado practicando; es indispensable buscar rutas que nos lleven a través de los dos patrones. Trate de seguir siempre la regla de "un traste por dedo", en cuanto sea posible, y deslice ocasionalmente el dedo ascendiendo sobre el diapasón para alcanzar otros puntos.

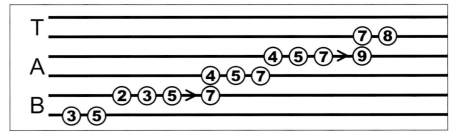

Intente buscar rutas alternativas que asciendan y desciendan en el diapasón. Ensaye además el movimiento de los patrones a lo largo del diapasón para practicar diferentes escalas.

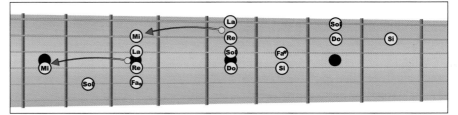

Tercer patrón de escalas

Tercer patrón de escalas de sol mayor.

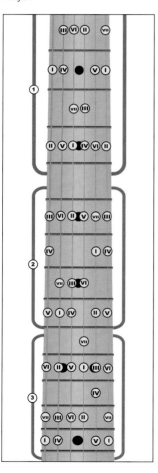

Existe un tercer patrón que se ubica después del segundo y aumentará el rango ascendiendo por el diapasón. Si tiene dificultad en alcanzar estas notas con una guitarra acústica, puede disminuir el patrón devolviéndolo un par de trastes. Si está tocando en sol mayor, el patrón inicia en el traste 15 de la cuerda mi bajo.

La combinación de los tres patrones de escalas nos genera un mapa que abarca casi toda la longitud total del diapasón. Estos tres patrones funcionan en secuencia, de modo que si tiene algún espacio sobre el diapasón puede colocar el primer patrón después del tercero, y así sucesivamente. O, si su nota tónica es muy alta al inicio, puede colocar el tercer patrón antes del primero.

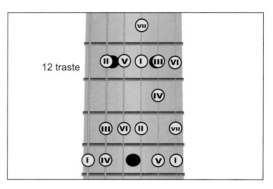

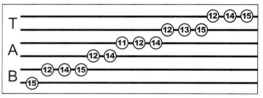

Es importante dedicar cierto tiempo a practicar estas escalas y conocerlas. Desplácelas a lo largo del diapasón de modo que toque en diferentes tonalidades y encuentre diferentes rutas a lo largo del mapa que le permitan ascender y descender por el diapasón.

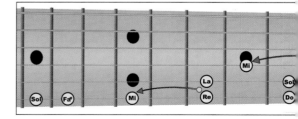

Para crear *licks* o *runs* hay que empezar a improvisar con las escalas, escogiendo patrones pequeños y *runs* que encajen en el tipo de música que esté tocando. Por lo general, debe empezar y terminar su *run* con la misma nota, aunque no necesariamente en la misma octava. Procure iniciar y finalizar su *run* con la tónica del acorde que esté tocando en el momento. Por ejemplo, si está tocando una melodía en la tonalidad de sol mayor y emplea el I y IV acordes que corresponde a sol y re para crear un *riff*, puede construir un *run* iniciando y terminando con sol, la I tónica. Alternativamente, puede construir un *run* en re, iniciando y terminando con la V nota en el patrón de la escala, lo cual puede producir un sonido interesante. Si conoce los acordes que está tocando en el *riff*, es más fácil saber dónde iniciar sus *runs*.

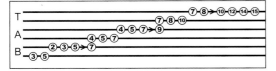

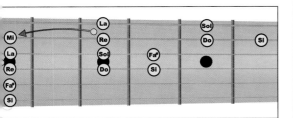

Con el patrón de escalas que creamos en sol mayor, practique el siguiente ejercicio para escuchar cómo funcionan los acordes iniciando en diferentes posiciones de la escala. Usaremos los acordes I, IV, V y VI a partir de sol mayor, los acordes de sol, do, re y mi menor. Produzca el acorde, luego toque un *run* iniciando con la nota tónica del acorde, pero siguiendo el patrón de escalas de sol mayor. Produzca de nuevo el acorde al finalizar el *run*. Toquelo en ambas direcciones.

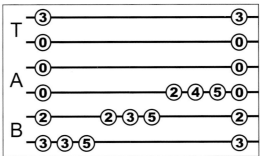

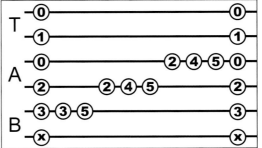

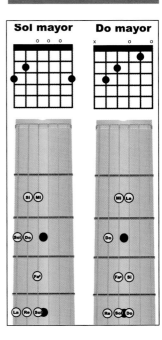

Escalas modales

Se conoce como escala modal a la alteración de las escalas para darles inicio con una nota diferente. Cada punto de inicio a lo largo de la escala tiene un nombre especial proveniente de la antigua Grecia.

I	T T S T T T S	
		Jónica (mayor)

II	T S T T T S T	
		Dórica

III	S T T T S T T	
		Frigia

IV	T T T S T T S	
		Lidia

V	T T S T T S T	
		Mixolidia

VI	T S T T S T T	
		Eólica (relativa menor)

VII	S T T S T T T	
		Locria

Página enfrentada: escala pentatónica de sol mayor.

Re mayor   **Mi menor**

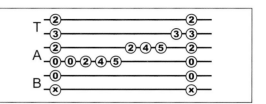

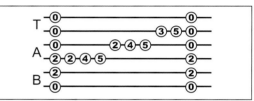

Si aprende los patrones de las escalas mayores, no sólo conocerá las escalas de todas las tonalidades mayores, sino también los patrones de todas las tonalidades relativas menores, cambiando simplemente el punto de inicio. Al tocar escalas relativas menores, imagine que la VI posición es la tónica; mantenga el mismo patrón, simplemente varía la numeración.

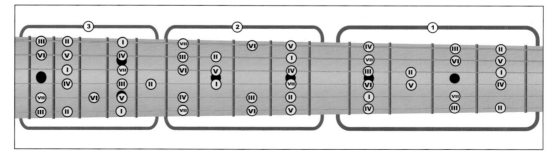

Escalas pentatónicas

Si el aprendizaje de los patrones de la escala mayor es una tarea muy difícil, hay una alternativa: use una versión simplificada de la escala mayor, conocida como escala pentatónica que significa una escala de cinco tonos o notas. La escala pentatónica mayor elimina la IV y VII notas de la escala mayor normal.

El grupo reducido de notas significa que nuestros patrones de escalas serán más despejados y por tanto más fáciles de recordar. Lo ideal es recordar la escala mayor y poder omitir las IV y VII notas para tocar una pentatónica, en vez de simplemente aprender la escala pentatónica.

Observe los patrones de escalas reducidos para la escala pentatónica en sol mayor.

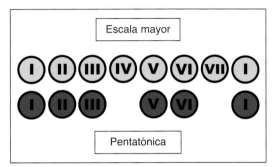

En el caso de la escala pentatónica de sol, nos quedamos con las notas sol, la, si, re, mi.

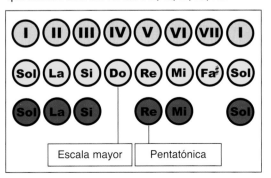

Debe practicar tocando la escala y escoger las notas sobre el diapasón. Intente moverse hacia diferentes posiciones, de modo que pueda tocar en otras tonalidades además de sol mayor.

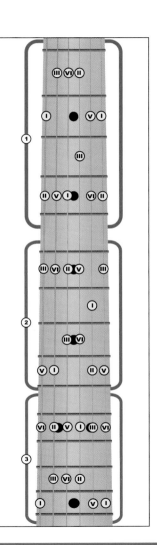

Escala de blues

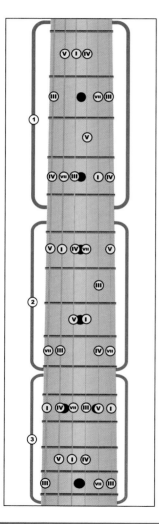

La escala pentatónica no funciona muy bien si tiene incluido el IV y VII acordes en su canción, porque no incluye las notas tónicas en la escala.

Puede además emplear escalas modales para iniciar la escala a partir de una nota diferente; por tanto, si inicia a partir de la VI posición, tendrá la escala pentatónica relativa menor.

No se confunda con la numeración porque seguimos tocando las mismas notas, simplemente las numeramos otra vez a partir de una nueva posición de inicio como si estuviésemos tocando en mi menor.

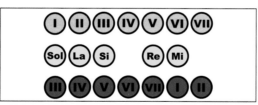

El tercer patrón de escala pentatónica es tal vez el más útil porque es el más fácil de tocar.

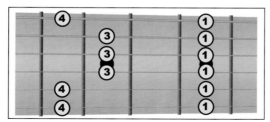

La escala de blues es una variación de la escala pentatónica. Esta escala agrega una III menor a la escala mayor o una V bemol, si toca en una tonalidad menor relativa. Esta nota bemol también puede llamarse nota de blues. Esta escala añade una sensación de blues a sus solos.

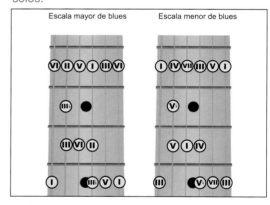

Escala mayor de blues   Escala menor de blues

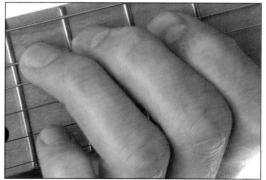

Escalas menores

Escala menor melódica

Las escalas relativas menores que hemos estudiado se denominan "escalas menores naturales" porque emplean las mismas notas de su escala relativa mayor. Existen otras escalas menores con cierta variación a las notas que se encuentran en estas.

Esta escala menor melódica está compuesta por dos partes. Su parte ascendente difiere levemente de su parte descendente. La escala descendente es la misma escala menor natural que hemos venido empleando, pero al ascender en la escala, las notas en la VI y VII posición son sostenidas

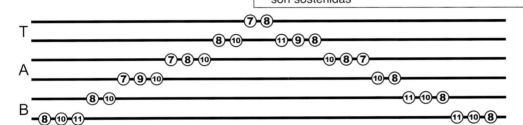

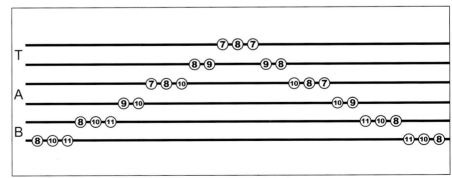

Página enfrentada: escala de blues.
Esta página: escala menor armónica.

Escala menor armónica

La escala menor armónica asciende y desciende del mismo modo. Es básicamente una escala menor natural que incluye una VII nota sostenida.

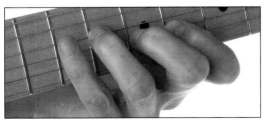

Escala menor armónica

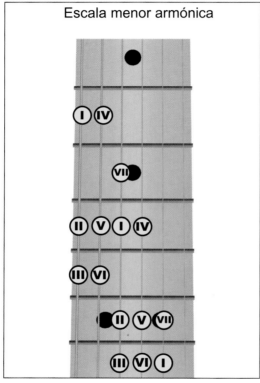

Escala mayor húngara

Do Re# Mi Fa# Sol La La#

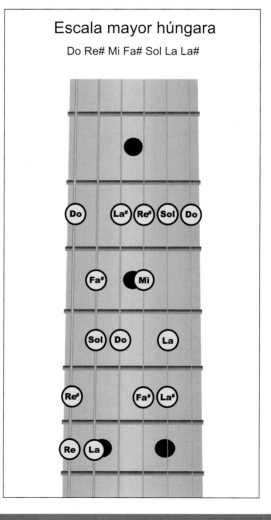

Hemos estudiado las escalas empleadas con mayor frecuencia, aunque existen miles de escalas diferentes alrededor del mundo que puede encontrar en libros si le interesan. Acá presentamos algunas escalas poco comunes, con el fin de mostrarle otras alternativas. Todas se construyen sobre la tonalidad de do.

Escala oriental

Do Do# Mi Fa Fa# La La#

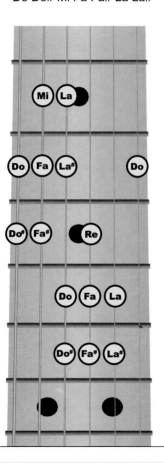

Para tocar satisfactoriamente la guitarra, debe practicar y aprender durante un tiempo las escalas y tonalidades. Posteriormente, al tocar en una banda con sus amigos podrá demostrar sus instintos y reacciones. No se preocupe si rompe o altera algunas reglas, así producirá su propio sonido.

Escala persa

Do Do# Mi Fa Fa# Sol# Si

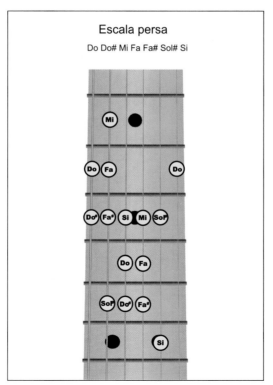

Guitarras, amplificadores y efectos

Si realmente desea tocar guitarra, probablemente desee tener más de una. Los diferentes sonidos producidos por los distintos tipos de guitarra le harán desear más de una para poder experimentar con una mayor variedad de música. Este capítulo explora los aspectos para tener en cuenta al hacer la compra.

Veremos los principales tipos de amplificadores y parlantes disponibles para los guitarristas y le ayudaremos a reconocer aquellos que mejor se adaptan a sus fines.

También cubriremos los pedales de efectos y las unidades, observando los efectos clásicos y algunas de las nuevas máquinas multiefectos.

Finalizaremos revisando algunas formas de grabar su producción y las opciones disponibles para tocar si está solo.

Guitarras para principiantes

Si aún no ha comprado la primera guitarra con la cual piensa aprender a tocar, le suministraremos algunos consejos útiles antes de hacerlo. El más importante, y simple, consiste en comprar el mejor instrumento que pueda pagar.

Al empezar a tocar, sus dedos estarán muy blandos y muy poco acostumbrados a sostener difíciles posiciones de los acordes. Las guitarras baratas ayudarán muy poco porque las cuerdas están localizadas en una posición muy alta sobre el diapasón, y su sonido, muy pobre, impedirá su progreso y lo obligará a trabajar con mayor fuerza para obtener los resultados deseados. Así incrementará la posibilidad de rendirse antes de progresar.

El principal objetivo de un principiante es sentirse cómodo con la guitarra. El equilibrio y el peso son fáciles de evaluar, pero la acción es también importante. Si está demasiado alta, los dedos deberán presionar sobre las cuerdas con más fuerza de la normal y probablemente la fatiga llegará con mayor rapidez. Si está demasiado baja, las cuerdas y los trastes zumbarán.

Un buen tono en el sonido de la guitarra lo ayuda al iniciar y lo alentará a progresar. Las guitarras económicas tienen un sonido pobre y los principiantes no logran buenos resultados. Los buenos guitarristas tardan mucho tiempo en producir buenos sonidos en estos instrumentos.

Aquellas guitarras tomadas como valiosas mantienen su valor e incluso lo incrementan con el tiempo. Las económicas pierden su valor rápidamente. Visualmente no habrá mucha diferencia entre una de US$200 y una de US$2.000, pero sí la hay en la calidad de los materiales. La madera de buena calidad marca una gran diferencia en el sonido, y la sensación de la guitarra, así como su fabricación a mano, tendrá un efecto diferente a las producidas al por mayor.

Guitarras Fender *Stratocasters*.

Las guitarras de buena calidad están hechas con maderas costosas y en ocasiones raras, mientras que las económicas están hechas con maderas terciadas y cubiertas con una capa de madera más atractiva o de mejor calidad en la superficie. Las más económicas no tienen muy buena vejez.

Al comprar su primer instrumento es mejor buscar una guitarra acústica con encordado de acero de modo que no deba gastar gran parte de su presupuesto en un amplificador. Una guitarra acústica puede tomarse y tocarse inmediatamente, y el volumen de su producción no molestará a las demás personas mientras aprende.

Si decide escoger una eléctrica, deberá comprar un amplificador pequeño con audífonos que pueda emplear con ella. Sin embargo, debe ser consciente de que el uso constante de audífonos podrá lesionar su oído. Como músico, su oído es absolutamente importante, por lo cual debe cuidarlo. Si desea conectar su guitarra eléctrica a su equipo de sonido, necesitará un cable adaptador compatible con este.

Es importante considerar las guitarras de segunda mano porque podrá conseguir mejores tratos con su dinero que al comprar una nueva por el mismo precio. Se consiguen muy buenas ofertas en el mercado, la mayoría provenientes de personas que la compararon para aprender, pero después de algunos meses deciden no volver a tocar.

Es más seguro comprar guitarras de segunda mano en una tienda especializada que en Internet o en los avisos clasificados de los periódicos; en el almacén las revisan y arreglan. Además podrá ir al almacén a solicitar servicio posventa si lo requiere. Si compra una guitarra de un particular, trate de solicitar ayuda de un conocedor. Note si el instrumento ha sido tratado con suavidad o si ha sido maltratado. El tono de una guitarra de segunda debe haber madurado y el mástil debe estar fijo. El tono de una guitarra nueva cambia en cuanto se adapta a su nuevo ambiente.

Guitarra *Music Man Axis Super Sport*.

Cómo ampliar su colección

Incluso si ya compró una guitarra, una vez empiece a progresar deberá decidir si desea invertir en otro modelo.

Debe pensar en el propósito para el cual quiere comprar el nuevo instrumento. ¿Desea simplemente una versión mejorada de la guitarra que ya tiene o busca un poco de variedad y desea ampliar su colección? Es lógico comprar una guitarra eléctrica si ya posee una acústica o viceversa. La acústica es muy útil en casa, pero si desea tocar en una banda o junto con otros músicos, probablemente necesitará una eléctrica.

Si busca ampliar su colección de guitarras eléctricas dependiendo de las que ya posea, deseará comprar una que funcione como guitarra líder, puede ser una *Stratocaster* o una *Les Paul*, o una diseñada para tocar el ritmo, como una *Telecaster*. También podrá comprar una semiacústica, si lo desea.

Piense a conciencia dónde desea utilizarla: en casa, en el estudio o al aire libre. Las guitarras de estudio requieren de micrófonos e interruptores de sonido limpio y claro, mientras que las guitarras al aire libre deberán resistir cierto grado de trato fuerte. Las compradas para usar en casa no deben ser tan prácticas y pueden coleccionarse por gusto propio, de modo que será más importante considerar su apariencia e historia.

Acústica *Takamine* de doce cuerdas.

Consejos para comprar guitarras

Antes de empezar a buscar una guitarra es mejor consultar su presupuesto y tratar de no cambiarlo. De otro modo será muy fácil dejarse convencer por los modelos costosos y variados que se encuentran a la venta. Visite varias tiendas para tener una idea de los precios.

Tómese su tiempo al comprar la guitarra. Probablemente usará su nueva adquisición por años, de modo que tardar ciertas semanas tomando una decisión y analizando diversas alternativas le ayudará a confirmar que ha tomado la decisión correcta. Si le preocupa perder un negocio, podrá dejar un depósito como muestra de su intención de compra.

Deberá dedicar cierto tiempo a analizar la guitarra, y observarla. Cójala y sosténgala, evalúe su peso, equilibrio y comodidad. Pida que le permitan ensayarla, y dedique cierto tiempo a tocarla, o pídale a un guitarrista que le acompañe y le dé su opinión. Al ensayarlas, toque todos los trastes y cuerdas en búsqueda de zumbidos y solicite ajustes si los escucha. Ensaye todas las clavijas e interruptores evaluando si funcionan bien y no producen chasquidos.

Si compra un modelo de segunda mano asegúrese de que las cuerdas no están demasiado viejas y gastadas. Deberá pedir cuerdas nuevas si lo considera necesario, porque ellas afectan el tono de la guitarra. Incluso si es necesario pague para que le coloquen un nuevo set de cuerdas si realmente desea comprarla.

Al comprar una guitarra de segunda, busque rayones y golpes que le indiquen el cuidado que se tuvo con el instrumento. Abolladuras a lo largo del mástil, o clavijas dobladas son señales de haberla dejado caer o de haberla golpeado; revise el mástil. Busque rayones y grietas en el cuerpo si es una guitarra acústica y busque refuerzos sueltos en su interior que puedan afectar el tono. Si no es posible ver el interior, golpéela suavemente para escuchar cualquier movimiento interior.

Gibson Sgs para zurdos.

El mástil es el área de principal preocupación en las guitarras de segunda mano. Revise todos los trastes para asegurarse de que no estén demasiado desgastados o sueltos y necesiten ajustarse.

Sostenga la guitarra verticalmente y observe a lo largo del mástil en busca de doblamientos o torceduras. El mástil debe estar recto. Si está flexionado hacia atrás o hacia adelante, afectará la acción; un ingeniero puede enderezarlo ajustando el alma. Si está doblado en dos secciones o si está suelto, no compre la guitarra.

La mayoría de problemas de las guitarras pueden arreglarse, incluso cuerpos con grietas o mástiles torcidos, pero debe ser consciente del costo de estos arreglos al negociar un precio y decidir si vale la pena repararla.

Es aconsejable evitar comprar guitarras de doce cuerdas de segunda mano porque debido a la creciente tensión sobre su mástil, su vida útil tiende a ser más corta que la de las de seis cuerdas.

Observe cuidadosamente el punto donde el mástil se une con el cuerpo, porque es el punto que más fuerza soporta. Busque protuberancias o abolladuras en el cuerpo que indiquen que la presión es demasiado fuerte. Revise que las clavijas giren con facilidad y no estén torcidas. Revise además que el puente tenga espacios que permitan su ajuste, porque aunque la acción puede ser fina en este momento, requerirá realizar ajustes en el futuro.

Observe el mástil en busca de doblamientos y torceduras.

Vale la pena encontrar una buena tienda de guitarras. Si tiene buena suerte y encuentra más de una, dedique cierto tiempo a descubrir qué empleados del almacén suministran un buen servicio y de cuáles puede esperar respuestas honestas.

Amplificadores

Es mejor comprar en una tienda musical especializada que en un almacén o tienda por departamentos. Los almacenes pequeños no se preocupan demasiado por hacer ventas rápidas porque sus propietarios conocen los beneficios a largo plazo de tener clientes que vuelven a visitarlos, incluso solamente para encordar nuevamente sus guitarras.

Otra ventaja de comprar en almacenes dedicados a la venta de guitarras es que estas deben arreglarse y ajustarse antes de ser expuestas para su venta y es mejor comprarlas en un sitio que tenga acceso a un taller y a un ingeniero que pueda realizar los ajustes. También considere las opciones posventa. ¿Tendrá un período de prueba dentro del cual podrá devolverla y obtener un reembolso total en caso de no ser adecuada para usted? Considere además si el almacén le ofrece servicio cuando desee realizar pequeños ajustes para adecuarla a su estilo individual.

Si tiene guitarra eléctrica, requerirá un amplificador para poder utilizarla. Este no sólo es un gasto adicional, también es un problema adicional. El precio para considerar en esta pieza de su equipo puede no ser tan importante como el espacio que requerirá para guardarlo o el modo en que va a transportarlo.

Los amplificadores se consiguen en variedad de tamaños o rangos de potencia. Se pueden clasificar en dos categorías: separados y combos.

Separados

Cuando el amplificador está dispuesto en una caja y los parlantes en otra, se denominan separados. El amplificador le permite conectarse a una o más cajas de parlantes por cables y le permite conectarse a más amplificadores, de modo que pueda crear un sonido más fuerte. Le tomará cierto tiempo acostumbrarse a la potencia del sonido que estas torres de parlantes generan, porque incluso un sonido muy suave de la guitarra puede amplificarse a niveles enormes.

El problema del *feedback*, un sonido muy similar a un "aullido" generado en los parlantes, ocurre

Izquierda: mostrador de una tienda especializada de guitarras.
Arriba: torre naranja.

Combos

cuando los micrófonos de la guitarra recogen el sonido que se genera en los parlantes, lo amplifican y lo reproducen nuevamente, creando un ciclo que termina con este sonido, por lo general estridente y molesto.

La ventaja de emplear separados es que tienen configuración modular, de modo que puede modificarlos según el tamaño del sitio donde va a tocar. El problema es que ocupan demasiado espacio y deberá contratar algunos ayudantes y un camión para transportarlos. Cuantos más parlantes requiera, mayor será el espacio que necesite para poder escucharlos adecuadamente.

Antes de decidirse por un sistema de torres de sonido, analice si el tamaño del sitio en el cual se va a realizar el evento soporta tal sonido. Además, si toca en una banda debe tomar en cuenta el equipo empleado por los demás miembros y si van a poder equilibrar el sonido. Si solamente requerirá este poderoso sonido en contadas ocasiones, es más aconsejable que contrate el equipo.

Los combos son amplificadores en los cuales estos y los parlantes están acomodados juntos en la misma caja. Permiten un fácil transporte y almacenamiento y son muy populares entre los guitarristas.

El tamaño del combo que escoja dependerá del uso que le vaya a dar. Si solamente lo requiere para practicar en casa, será suficiente con una caja pequeña. Sin embargo, si va a tocar en gran cantidad de conciertos, necesitará algo que le pueda generar el mismo volumen de sonido de los demás instrumentos en la banda. La mayoría de combos de amplificadores pueden conectar parlantes adicionales u otro amplificador. Algunos combos de amplificadores tienen dispositivos de inyección directa (DI), que le permiten a los ingenieros tomar la señal directa del amplificador y conectarlo directamente en el sistema PA. También es posible colocar un micrófono frente a los parlantes de los amplificadores para dirigir el volumen a través del sistema PA.

Combo de amplificadores.

Potencia

Los amplificadores se califican de acuerdo con la capacidad de su potencia en donde los mayores números significan volúmenes más altos. Al evaluar la potencia de los amplificadores debe buscar el número correspondiente a la RMS (potencia media) que le permita compararlo con otro porque cualquier otra medición de potencia puede estar errónea. La potencia se mide en vatios: cuanto más alto sea el vatiaje, más fuerte será el sonido que producirá el amplificador. Sin embargo, el índice del vatiaje es una cruda indicación de la potencia del amplificador porque su diseño, construcción y el tipo de parlantes afectará el volumen. Generalmente, un amplificador de 15 a 30 vatios será suficiente para uso doméstico, mientras que los amplificadores de 60 a 100 vatios le permitirán ser escuchado en conciertos.

Debido a su diseño, los amplificadores funcionan mejor cuando su volumen se incrementa en más de su mitad y con frecuencia notará que la calidad del sonido cambiará significativamente al cambiar su ajuste. Si toca en un concierto, es importante ensayar empleando el volumen al que finalmente tocará. Todos los amplificadores tienen controles de volumen y tono. El control del tono viene desde botones giratorios para graves y agudos hasta ecualizadores gráficos sofisticados que permiten un control más preciso de las frecuencias específicas.

Algunos amplificadores incluyen efectos especiales para producir sonidos poco usuales, pero será mejor invertir más dinero en un amplificador mejor sin características adicionales y utilizar una caja de efectos si la necesita.

Los de tubos

Existen dos tipos principales de diseños de los amplificadores: los de tubos al vacío y los de *solid-state*. Originalmente, todos fueron amplificadores de tubos. Los tubos al vacío son tubos de vidrio que contienen filamentos en un espacio vacío, que brillan cuando la potencia fluye a lo largo de ellos, similares a las bombillas de luz. Los tubos tienen la tendencia a distorsionar y redirigir una señal que pasa a través de ellos creando un sonido rico y cálido al ser usados en un amplificador para guitarra.

Izquierda: tubos al vacío.

Parlantes

Los parlantes se consiguen en diferentes tamaños y, así como en los amplificadores, su potencia se mide en vatios. La potencia de sus parlantes debe relacionarse con la de sus amplificadores. Es adecuado tener parlantes con una potencia mayor a la de los amplificadores, pero si es menor, dañará los parlantes si enciende el amplificador al máximo.

Cuanto más alta sea la potencia del parlante, mayor potencia requerirá para convertirse en sonido. Los parlantes lo hacen cargando un imán en su parte trasera que empuja un resorte que se encuentra en su cono hacia adelante y hacia atrás, y genera el sonido. El tamaño del imán y la calidad del cono tienen efecto sobre el sonido. Los imanes más grandes y más pesados implican mejor calidad de los parlantes.

Los parlantes se conocen por el tamaño del diámetro del cono y se miden en pulgadas. El tamaño del cono del parlante no afecta el volumen pero sí el tono. Los parlantes más pequeños no producen tantas frecuencias de bajos como los más grandes, pero cuanto más grande sea el parlante, más alejado deberá estar de ellos para poder escuchar sus frecuencias.

Los tamaños más comunes de los parlantes son 10", 12", 15" y 18", aunque los de 18" se reservan por lo general para los amplificadores de

bajo. Las cabinas de parlantes normalmente tienen grupos de parlantes conectados entre sí en su interior. Los combos tienen pares de parlantes en su interior, como dos parlantes de 10", mientras que las torres de parlantes poseen grupos de cuatro, pueden ser cuatro parlantes de 12".

Una buena combinación consistiría en un combo con parlantes de 10" para las prácticas, que le permita monitorear su propio sonido en tarima y una caja externa de parlantes de 12" que lance el sonido hacia el exterior para conciertos en vivo. Los parlantes se desgastan con el tiempo y con el uso, por lo que hay que protegerlos cuidadosamente. Es mejor evitar tocar los conos de los parlantes porque cualquier grieta u orificio afectará la calidad del sonido.

Derecha: cono de un parlante.
Página enfrentada, a la izquierda: Pedal multiefectos Boss.
Página enfrentada, a la derecha: cajas de efectos.

Amplificadores acústicos

En la actualidad hay una amplia selección de amplificadores diseñada específicamente para las guitarras acústicas. Esta incluye circuitos especialmente diseñados para incrementar la calidad tonal de la guitarra acústica en vez de sobrecargar y distorsionar el sonido como ocurre con aquellos diseñados para las guitarras eléctricas. Las guitarras acústicas son más propensas al *feedback*, por lo que los amplificadores diseñados para ellas tienen algún implemento incluido que lo evita.

Podrá ahorrar algo de dinero si compra los amplificadores de segunda mano, porque tienen largas expectativas de vida y se dañan muy poco al permanecer escondidos detrás de los escenarios. Si compra uno de segunda mano, busque orificios o rasgaduras en sus conos y escuche cuidadosamente en búsqueda de crujidos o sonidos emergentes al encender los interruptores y botones. Ponga atención también a los murmullos producidos por el amplificador cuando no hay instrumentos conectados a él. Intente comprar amplificadores en tiendas o a personas que le devuelvan su dinero en caso de mal funcionamiento, porque es muy difícil evaluarlos si no es en la práctica real.

Efectos

Si usted es guitarrista profesional, vale la pena ensayar ciertos efectos que le añadirán sustancia a su música y esconderán los errores ocasionales.

Las unidades para efectos se consiguen en diversidad de estilos y cajas. Generalmente son unidades individuales con interruptor de pedal que permite encenderlas y apagarlas –conocidas como pedaleras– o cajas de efectos múltiples que se controlan con el pie o se pueden controlar con la mano. Existen otros suficientemente pequeños como para ajustarse a la cinta de la guitarra, mientras que los efectos más modernos pueden controlarse por computador y se adaptan mejor a las salas de estudio.

Distorsión y overdrive

Estos pedales simulan el efecto de un amplificador grande en su máximo poder. Le producirán el sonido de rock pesado sin necesidad de encender todo en su máximo volumen. Los efectos pueden usarse para cambios muy sencillos, como la simulación de un amplificador de tubos o crear un sonido en el cual el sonido original de la guitarra sea virtualmente inexistente.

Delay y eco

Estas unidades introducen un retraso en la señal de la guitarra permiten repetir la señal varias veces. La velocidad del retraso y la cantidad de veces que la señal se repita será variable. Estos efectos se emplean por lo general en la música reggae.

Flanger y phaser

Las unidades para efectos se conectan entre la guitarra y el amplificador de modo que si utiliza muchas unidades obtendrá un sonido creciente en el fondo hacia el amplificador, en ese momento es muy útil una unidad multiefecto. Debe considerar además el gran número de baterías o transformadores requeridos para el funcionamiento de todas estas unidades.

Acá presentamos una lista de los efectos más comunes y populares disponibles y una breve descripción de lo que debe hacer.

Ecualizador

Los ecualizadores (EQ)s son controles de tono mejorados que le permiten enfocar una frecuencia particular e incrementarla o reducirla. Las frecuencias pueden seleccionarse utilizando el EQ paramétrico o los equalizadores gráficos.

Estos pedales crean un sonido similar al pedal de *wah wah*, pero más extremo. En su punto máximo, producen un sonido más parecido al de un avión volando que al de una guitarra. El *phaser* es el más suave de los dos y funciona con un filtro que recorre todas las frecuencias. El *flanger* produce un efecto más notorio devolviendo a sí mismo una versión levemente retrasada del sonido original. Ambos son ampliamente usados por los guitarristas de funk.

Reverb

Este es un tipo de efecto de retraso mucho más suave. El *reverb* simula lo que ocurre cuando el sonido rebota en las paredes de una habitación. Sus ajustes le permiten recrear el sonido que podría ser producido en habitaciones de diferentes tamaños.

Native Instruments' Guitar consta de un amplificador computarizado y una unidad para efectos

Portaestudios y secuenciadores

Existe en el mercado una amplia variedad de equipos de grabación portátil disponibles, que le permiten registrar su producción y progreso. La mayoría permiten múltiples registros, lo cual significa que puede grabar un instrumento a la vez, o múltiples veces con el mismo instrumento, permitiéndole construir las canciones por etapas en vez de registrar todo de una sola vez. Algunos equipos traen ritmos y pistas preconstruidos para tocar.

El *software* de registro de copias múltiples y de secuencias para el computador es otra opción para registrar su música porque la mayoría de computadores son suficientemente poderosos para permitir un registro y un *play-back* en tiempo real, y son una alternativa muy buena diferente de los portaestudios, si es hábil para enfrentarse en el desafío técnico.

"El software para bandas de garaje" de Apple es un buen punto de inicio para construir pistas sobre las cuales tocar. Si desea obtener una producción similar a la que le generaría un estudio de grabación necesita un computador de muy alta calidad con enorme memoria y espacio en el disco. Los programas Emagic's logic Audio y MOTU's Digital Performer se emplean en estudios de grabación.

Cables

Los cables cumplen un papel importante en el sonido que produce su guitarra. Las señales enviadas desde su guitarra y a través de las diversas cajas transportan corrientes muy pequeñas, y por tanto, debe usar cables de alta calidad para que la señal no se pierda.

Los cables muy largos reducen el nivel de la señal; deben ser blindados para que no recojan señales de radio. Cámbielos al menos una vez al año pues su cubierta protectora se debilita y rompe, o se oxida y reduce la señal, afectando sus niveles de salida.

Sintetizadores para guitarra

Los sintetizadores ya no se limitan a los teclados y muy pocas guitarras los incluyen en su estructura interna. Las más comunes son las guitarras MIDI que tienen dispositivos especiales que envían la información de las notas en vez de enviar los sonidos a través de un cable especial en formato general MIDI hacia el computador digital. Esta señal permite el control de samplers, sintetizadores y máquinas de percusión. De hecho, el MIDI puede controlar un amplio rango de equipo, hasta mezcladores y conectores de luz.

Compresor

El compresor empareja los niveles de los sonidos bajos y altos de la guitarra y los comprime para generar un sonido más homogéneo. Así puede distinguir la guitarra de otros instrumentos que emplean un rango similar de frecuencias.

Arriba: MOTU's Digital Performer, estudio de grabación de múltiples pistas para Macintosh.
Abajo: remplace los cables con frecuencia.

Banco de acordes

En las siguientes páginas encontrará una sección de referencia muy útil que le mostrará los acordes para las doce notas. Los acordes presentan las versiones mayores y las menores con sus 7as, estos son los acordes usados con más frecuencia. Recuerde que algunas notas tiene equivalentes enarmónicos, de modo que los acordes para la# son los mismos acordes para si♭.

El banco de acordes está precedido por tablas que le permitirán aprender los acordes más complejos con mayor facilidad.

La tabla para la escala mayor muestra todas las notas en cada escala mayor con base en las notas del círculo de quintas y la tabla de acordes indica cuáles notas dentro de la escala mayor se usan para crear cada acorde. Entre las dos tablas podrá encontrar fácilmente más de doscientos acordes.

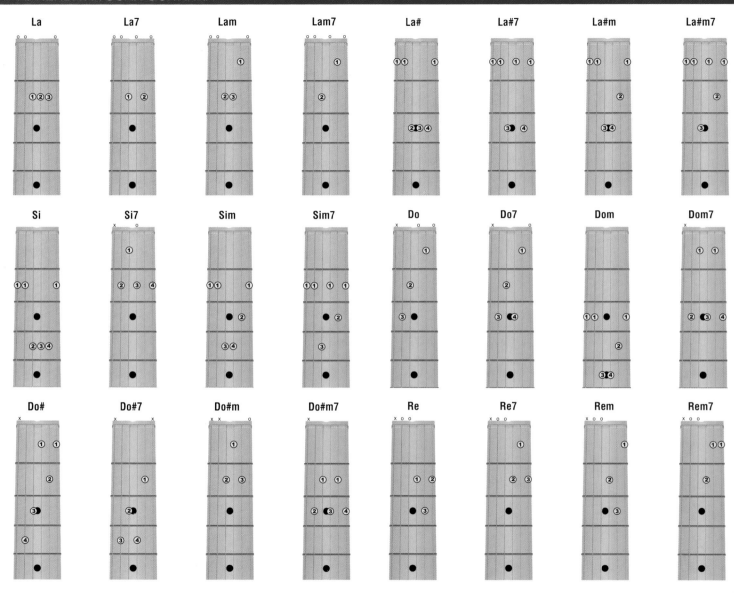

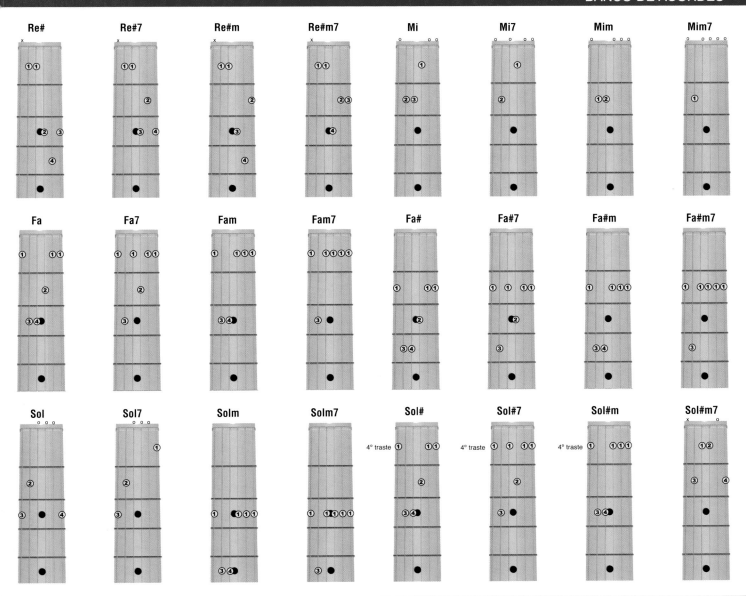

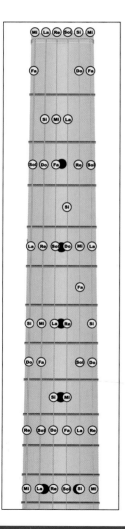

Acorde	Notas de la escala mayor					
Mayor	1	3	5			
Menor	1	♭3	5			
Disminuido	1	♭3	♭5			
Aumentado	1	3	♯5			
Mayor con 6	1	3	5	6		
Menor con 6	1	♭3	5	6		
7	1	3	5	♭7		
Mayor con 7	1	3	5	7		
Menor con 7	1	♭3	5	♭7		
Disminuido con 7	1	♭3	♭5	♭♭7		
9	1	3	5	♭7	9	
7 + b♭9	1	3	5	♭7	♭9	
7 +♯9	1	3	5	♭7	♯9	
11	1	3	5	♭7	9	11
Aumentado con 11	1	3	5	♭7	9	♯11
13	1	3	5	♭7	9	13

La tabla para la escala mayor presenta todas las escalas que se encuentran en el círculo de quintas de arriba abajo y de izquierda a derecha, y muestra las notas de cada posición en la escala desde el comienzo.

Recuerde que la octava posición es un octava más alta que la primera posición y que algunas de las notas tienen equivalentes enarmónicos.

La tabla para acordes presenta todos los tipos de acordes encontrados de izquierda a derecha y muestra las notas de la escala mayor usadas para crearlos, a lo largo de esta.

Por ejemplo, si desea crear un acorde de fa# con 6ª mayor, busque la 6ª mayor en la tabla de acordes y note cómo está compuesta por la 1ª, 3ª, 5ª y 6ª notas de la escala mayor. Refiérase de nuevo a la tabla para escalas mayores y busque fa#. Si lee las líneas encontrará en estas posiciones las notas fa#, la#, do# y re#. Entonces deberá encontrar el sitio donde se ubican estas notas sobre el diapasón de la guitarra para formar el acorde.

	1	2	3	4	5	6	7	8	9	10	11	12	13
La♭	La♭	Si♭	Do	Re♭	Mi♭	Fa	Sol	La♭	Si♭	Do	Re♭	Mi♭	Fa
La	La	Si	Do♯	Re	Mi	Fa♯	Sol♯	La	Si	Do♯	Re	Mi	Fa♯
Si♭	Si♭	Do	Re	Mi♭	Fa	Sol	La	Si♭	Do	Re	Mi♭	Fa	Sol
Si	Si	Do♯	Re♯	Mi	Fa♯	Sol♯	La♯	Si	Do♯	Re♯	Mi	Fa♯	Sol♯
Do	Do	Re	Mi	Fa	Sol	La	Si	Do	Re	Mi	Fa	Sol	La
Re♭	Re♭	Mi♭	Fa	Sol♭	La♭	Si♭	Do	Re♭	Mi♭	Fa	Sol♭	La♭	Si♭
Re	Re	Mi	Fa♯	Sol	La	Si	Do♯	Re	Mi	Fa♯	Sol	La	Si
Mi♭	Mi♭	Fa	Sol	La♭	Si♭	Do	Re	Mi♭	Fa	Sol	La♭	Si♭	Do
Mi	Mi	Fa♯	Sol♯	La	Si	Do♯	Re♯	Mi	Fa♯	Sol♯	La	Si	Do♯
Fa	Fa	Sol	La	Si♭	Do	Re	Mi	Fa	Sol	La	Si♭	Do	Re
Fa♯	Fa♯	Sol♯	La♯	Si	Do♯	Re♯	Mi♯	Fa♯	Sol♯	La♯	Si	Do♯	Re♯
Sol	Sol	La	Si	Do	Re	Mi	Fa♯	Sol	La	Si	Do	Re	Mi

Glosario e índice